Multe mulțumiri lui Cheri R. L. Taylor

și Dona Haber pentru contribuțiile lor la crearea acestei cărți

folosind transcrierea seriei de telecall-uri „Implanturile de distragere".

CUVÂNT ÎNAINTE

Când te afli într-o situație pe care se pare că nu o poți schimba, este posibil să fii blocat într-un implant de distragere.

Un implant de distragere este ceva care este adânc înrădăcinat sau fixat în universul tău. Este prevăzut să fie activat de evenimentele din viața ta și să genereze distrageri care te împiedică să fii tot ceea ce poți fi tu cu adevărat și să ai viața pe care ți-ai dori să o ai cu adevărat. Ele sunt motivul pentru care credem că nu avem alegere în nimic.

Implanturile de distragere sunt:

- Furie, turbare, mânie și ură

- Blamare, rușine, regret și vinovăție

- Puncte de vedere care creează dependență, compulsive, obsesive și pervertite

- Iubire, sex, gelozie și pace

- Viață, a trăi, moarte și realitate

- Frică, îndoială, afaceri și relație

Inutil să spun că ți-ar fi mult mai bine fără ele.

În această carte noi furnizăm informații și instrumente realmente eficiente, care îți vor permite să recunoști implanturile de distragere și să te eliberezi de ele.

Capitolul UNU

Furie, turbare, mânie și ură

Gary: Bun găsit tuturor! Astăzi vom vorbim despre implanturile de distragere furie, turbare, mânie și ură. V-am invitat pe toți să-mi trimiteți întrebările voastre și mulți m-ați întrebat: „Cum de mă cuprinde furia?"

Furie, potență și intensitate

Nouăzeci și nouă la sută din oamenii din întreaga lume folosesc furia ca o modalitate de a obține controlul. Cu toții am identificat și am aplicat în mod greșit furia ca sursă a forței în lume. Ne gândim la ea ca la ceva care creează potență.

Pentru mulți oameni, potența echivalează cu puterea sau tăria, dar eu o folosesc într-un sens puțin diferit. Se consideră că o substanță care modifică alte substanțe le potențează. Poate fi un catalizator care schimbă alte substanțe. Atunci când ai potență, poți schimba orice în viața ta. Poți schimba orice se petrece astfel încât să funcționeze mai bine. Ca ființe infinite, noi toți avem această potență dar adesea pare a ne fi inaccesibilă pentru că zace sub implanturile de distragere care au rolul să ne distragă și să ne împiedice să fim ființele infinite care suntem cu adevărat.[1]

Avem tendința de a identifica în mod eronat furia ca potență deoarece furia îi face pe oameni să reacționeze dar nu le permite să acționeze.

Participant: Poți vorbi despre ce este reacția?

---

[1] În Access Consciousness' folosim adesea cuvântul *be* (a fi) în locul lui *are* (ești) pentru a face referire la tine, ființa infinită care ești cu adevărat spre deosebire de punctul de vedere previzibil despre cine crezi tu că ești.

Gary: Reacție este atunci când se petrece x iar tu faci y, fie că vrei, fie că nu. Ceva se întâmplă iar tu *reacționezi* la acel lucru în loc să poți să treci la acțiune în legătură cu el.

Participant: Când ne înfuriem, căutăm reacția cuiva?

Gary: Da, cauți locul în care poți fi în control. De aceea recurgi la furie în primul rând: o vezi ca pe un mod de a obține controlul.

Participant: Este acest lucru adevărat dacă apelăm la furie pentru potență? Atunci când tu folosești potența cu noi, o faci pentru a obține o reacție.

Gary: Ei bine, eu recurg la forță dar nu recurg la furie. Cei mai mulți dintre voi apelați la furie în locul forței și, din păcate pentru majoritatea dintre voi, vă reprimați furia. O tot reprimați până când reacționați și atunci credeți că este potență. Dar asta nu înseamnă neapărat a fi potent. Asta creează o situație în care tu te afli în reacție și toți ceilalți la fel.

Participant: Ne poți explica modul în care tu folosești forța?

Gary: Devin foarte sonor. Dacă vreau să creez o forță în viața ta atunci devin foarte intens cu energia. M-ai văzut folosind intensitatea cu tine. Era furie?

Participant: Nu.

Gary: Nu, dar este intensitate. Adevărata putere în viață este capacitatea de a folosi intensitatea atunci când trebuie să-ți faci înțeles punctul de vedere sau atunci când vrei să-i determini pe oameni să facă ceva diferit față de ceea ce fac în prezent.

Dain: Iată unul din modurile în care poți face diferența între intensitate și ceea ce oamenii numesc furie: trei secunde după ce ai avut un moment de intensitate revii la blândețea care ești sau care ai putea fi dacă ai alege-o. Nu există repercusiuni în corpul tău. Ritmul cardiac nu crește. Nu există sentimentul de a fi blocat în orice s-ar fi întâmplat. Nu la fel stau lucrurile, însă, când e vorba de furie.

Gary: Bună observație, Dain, pentru că atunci când recurgi la furie din spațiul de explozie te scoți pe tine însuți din existența adevărată și treci într-un loc unde încerci să-i controlezi pe ceilalți. Și când faci acest lucru, folosești o mare cantitate de forță împotriva propriului tău corp. Asta este problema cu toate implanturile de distragere – se exercită ca o forță împotriva corpului tău, care te menține într-o constantă stare de pompă de adrenalină în momente nepotrivite. Înseamnă că ești într-o stare de reacție și niciodată într-o stare de acțiune.

Participant: Eu confund furia și potența. Tatăl meu se înfuria cu privire la tot, chiar și legat de lucrurile cele mai neînsemnate. Și eu mă înfurii și, uneori, îmi vine greu să scap de furie. Am crezut că am depășit asta dar, recent, m-am înfuriat pe o așa-zisă prietenă. I-am spus să dispară din fața mea și atunci când s-a apropiat de mine m-am înfuriat și am crezut că am s-o lovesc!

Gary: Când recurgi la furie din punctul de vedere implantat al implanturilor de distragere, nu poți scăpa de furie pentru că ești într-o stare de reacție. De fiecare dată când te gândești la persoana respectivă ești în reacție față de ce a făcut sau a spus ca să te facă să explodezi. Dar ce au spus sau au făcut ei nu este elementul declanșator. Ai fost iritată de faptul că era un implant de distragere. Cu asta ai crescut. Tu ai crescut în preajma cuiva care îți apăsa butoanele oricând avea ocazia iar acum, în circumstanțele potrivite, tu treci automat la furie, turbare, mânie și ură. Exact asta este ce ai făcut cu prietena ta.

Dain: Avem tendința de a încerca să înțelegem aceste lucruri în mod logic și putem obține foarte multe în felul acesta dar există ceva ce poți face și care nu implică logica sau înțelegerea. Atunci când ești în vâltoarea a ceva care te irită, spune-ți:

Toate implanturile de distragere care creează asta, distrug și decreez acum. Right and wrong, good and bad, POD and POC, all 9, shorts, boys, POVADs and beyonds.[2]

---

[2] *Right and wrong, good and bad, POD and POC, all 9, shorts, boys, POVADs and beyonds* este fraza de curățare Access Consciousness. Este forma prescurtată care abordează energiile ce creează limitările și contractările din viața ta. Când o citești prima dată este posibil să-ți pună creierii pe bigudiuri puțin. Asta este intenția noastră. Are scopul să-ți scoată mintea din ecuație pentru ca tu să ajungi la energia situației respective. Pentru mai multe informații cu privire la fraza de curățare și ce înseamnă cuvintele citește Fraza de curățare Access Consciousness de la finalul acestei cărți.

Vei observa cum energia ta se schimbă şi se transformă.

Aceste implanturi de distragere continuă să te încurce. Ce vreau să spun cu să te încurce? Tu ai vrut să scapi de furie dar erai blocată de implantul de distragere în loc să ai libertatea de a spune: „Hei! Dispari din viaţa mea!", dacă era potrivit să spui asta, şi apoi să fi mers mai departe. Atunci când nu poţi merge mai departe, te afli în mijlocul unui implant de distragere.

Gary: Deoarece te gândeşti la asta, deoarece te preocupă acest lucru, nu ai libertatea de a alege, sau de a fi, sau de a face ceva diferit. Acesta este scopul unui implant de distragere. Nu îţi dă nicio alegere.

Dain: Ai spus că atunci când erai mică, tatăl tău era mereu furios din cauza unor lucruri minore şi nesemnificative. Energia aceea avea ataşată o intensitate. Probabil că ai identificat şi ai aplicat în mod greşit faptul că orice intensitate asemănătoare este furie, este implant de distragere, este un blocaj. Aşa că atunci când ai trimis acea energie spre prietena ta, chiar dacă era doar o intensitate, era datorită implanturilor de distragere cu care ai crescut toată viaţa. Ai identificat şi ai aplicat în mod greşit că făceai acelaşi lucru care ai observat că se întâmpla în familia ta.

Gary: Şi ai avea tendinţa să faci acelaşi lucru întrucât asta ai învăţat de la tatăl tău.

Participant: Sunt conştientă că frustrarea este de fapt o lipsă de informaţie şi cu toate acestea mă frustrează evenimente şi ceea ce eu consider a fi prostie omenească. Sau trec în zona lui a avea dreptate şi a vedea greşeala celuilalt. Trec uşor în frustrare, apoi în furie şi mă irită cât de rapid reacţionez. Uneori mă surprinde şi pe mine nivelul de energie pe care îl am, mai ales atunci când trebuie să am de-a face cu aceeaşi persoană tot timpul, ca un administrator de bloc. Cum să trec peste această furie şi să pun întrebări?

Gary: Acesta este locul în care îţi spui: „POC şi POD la tot ce permite acestui implant de distragere să existe în universul meu."[3]

---

[3] „POD şi POC" este prescurtarea frazei de curăţare.

Acest lucru îți va da libertatea de a acționa. Dedesubtul implanturilor de distragere se află toate lucrurile care îți dau putere, potență și acțiunea care, nu că te pune neapărat în poziția de conducere, dar te face să nu fii sub influența cuiva. Este locul în care ai alegere. Acesta este locul în care trebuie să ajungi, locul în care îți recunoști capacitatea de a alege. Iată un proces care a ieșit din mintea mea după ce am citit întrebările voastre:

Ce actualizare fizică a neschimbabilei și inalterabilei boli a potenței și puterii nu recunoști ca fiind sursa pentru crearea a ceea ce se ascunde sub implanturile de distragere? Tot ce este acest lucru, distrugem și decreăm în totalitate, vă rog? Right and wrong, good and bad, POD and POC, all 9, shorts, boys, POVADs and beyonds.

ACȚIUNE ȘI REACȚIUNE

Participant: Am implanturi ca reacție față de soțul meu. De fiecare dată când mă critică, trec în furie. Mă înfurii și mă simt nesigură. Și se pare că de fiecare dată când mă înfurii mă otrăvesc cu metale grele.

Gary: Întâi de toate, dacă soțul tău îți spune că ești o patetică grămadă de rahat, este asta un adevăr sau o minciună?

Participant: Este o minciună dar...

Gary: Când cineva îți spune ceva ce nu este adevărat despre tine, vei avea tendința să te înfurii. Dar, în loc să reacționezi din furie, pune niște întrebări:

- Ce a vrut să spună cu asta?

- Ce parte din asta este o drăgălășenie și denotă grijă?

- Ce parte din asta este doar răutate față de mine?

Acesta este locul în care nu treci în furie ca reacție. A pune o întrebare înseamnă a merge în locul unde există potența și puterea. Potența și puterea supremă sunt întrebarea, alegerea, contribuția și posibilitatea.

Dain: Dacă faci ce sugerează Gary, te vei afla în acțiune și nu în reacție. Asta va fi adevărat chiar și dacă ce spune soțul tău este menit să te facă să reacționezi. Nu vei reacționa, vei acționa.

Atunci când ai această dinamică în relație cu cineva, acea persoană face lucruri pentru a-ți apăsa butoanele. Încearcă să te facă să reacționezi iar tu reacționezi. Și situația continuă astfel, ani la rând.

Gary: Și demonstrează că acea persoană are dreptate.

Dain: Atunci când schimbi asta, când ieși din reacție și treci la acțiune, cealaltă persoană nu va mai folosi situația respectivă pentru a dovedi că are dreptate. E posibil să facă și mai multe ca să te facă să reacționezi dar când tu nu mai reacționezi, nu te mai afli sub influența acelei situații.

Participant: Uneori este foarte dificil în momentul respectiv, de vreme ce au loc o serie de reacții ale metalelor grele. Reacția mea este provocată de toxicitate.

Gary: Toxicitatea este un rezultat al implanturilor de distragere deoarece implanturile de distragere în sine sunt menite să-ți rănească corpul și să-l facă reactiv. Corpul devine mai reactiv la programarea metalelor grele de fiecare dată când treci în programarea implanturilor de distragere. Acesta este motivul pentru care, atunci când te înfurii, trebuie să rulezi:

> Toată furia, toate implanturile de distragere care creează acest lucru, distrug și decreez. Right and wrong, good and bad, POD and POC, all 9, shorts, boys, POVADs and beyonds.

Spune asta în sinea ta. Nu trebuie să o spui cu voce tare. Observă cum, după ce o spui de două-trei ori, dintr-odată nu mai ai reacție iar metalele grele nu mai au același efect asupra ta.

Participant: Este furia doar furie sau este mereu legată de un subiect? Eu am furie legată de bani, familie, boală și alte lucruri. Când distrugem și decreăm implantul de distragere care este furia, distrugem și decreăm toate implanturile? Sau trebuie să facem o curățare pentru fiecare subiect legat de furie?

Gary: Pur și simplu cureți implanturile de distragere de fiecare dată când apar. Foarte curând, ele nu vor mai fi probleme. Singurul motiv pentru care ele sunt probleme este pentru că cineva ți le-a dat ca și problemă a ta.

Dain: Ia aminte la ce a spus Gary acum. Trebuie să faci curățarea de fiecare dată când furia iese la suprafață. Mulți oameni își spun: „Am făcut POC și POD furiei o dată, așa că probabil a dispărut." Nu, trebuie să faci curățarea de fiecare dată când furia iese la suprafață pentru că sunt straturi și declanșatoare și tot felul de lucruri care o activează în lumea ta. De fiecare dată când faci POC și POD unui implant de distragere, elimini o parte din ceea ce îl activează.

Trebuie să perseverezi și de aceea facem aceste întâlniri la câteva zile pentru ca să poți face POC și POD la toate implanturile de distragere de furie, turbare, mânie și ură, pe măsură ce apar în viața ta. Ești suficient de deștept, suficient de genial și destul de nebun să fii în aceste *call*-uri și vei percepe mult mai mult din aceste lucruri în lume și va fi mult mai ușor să le faci față pentru că primești aceste instrumente.

Iată cum funcționează. Te deschizi la o altă conștientizare cu privire la ceva anume, primești acea conștientizare într-un fel în care nu ai vrut să știi înainte de asta sau într-un mod care este mai dinamic decât ai crezut vreodată că ar putea fi, dar primești și instrumentele pentru a-i face față.

Participant: Uneori, când mă uit la filme despre rasism sau când percep ceva ce este cu adevărat nedrept, mă întristez și mă înfurii foarte tare.

URA

Gary: Da. Deoarece e nevoie de ură pentru a avea prejudecată. Pentru ca prejudecata să existe, trebuie să recurgi la ură. Majoritatea oamenilor nu își dau seama că prejudecata este întotdeauna ură. Nu e niciodată mai puțin de-atât. Oamenii creează ura pentru a crea separare. O fac pentru a justifica răutatea, furia, mânia și turbarea pe care le vor exprima, sau e posibil să le exprime, sau ar putea să le exprime dacă ar trebui să o facă.

Prejudecata este doar o parte a sistemului furie, turbare, mânie şi ură care sunt câteva dintre elementele principale din care funcţionează oamenii de pe această planetă.

Dacă nu ar fi ură, ar exista posibilitatea prejudecăţii, a războaielor şi a tuturor acelor lucruri? Nu, pentru că oamenii urăsc atunci când alţii au mai mulţi bani decât au ei, urăsc atunci când cineva are ceva ce ei nu au. Urăsc când cineva primeşte ceea ce cred că ar trebui să aibă numai ei. Acestea sunt moduri în care oamenii creează o dificultate pe care par a nu fi dispuşi să o depăşească. Iar motivul pentru care nu o pot depăşi este pentru că este un implant de distragere, şi nu o realitate.

Dain: Când percepi ceva ce este nedrept, fără rost sau nepotrivit iar tu eşti tristă sau furioasă, furie care vine imediat după tristeţe, întreabă:

- Este asta furie cu adevărat? Sau este potenţa care este necesară ca să schimb acest lucru în viaţa mea sau în lume?

- Ce alte posibilităţi sunt disponibile acum, dacă sunt dispusă să fiu energia potenţei?

Participant: Este frustrarea parte din furie? Este o formă mai redusă a furiei?

Gary: Singurul motiv pentru care te frustrezi este deoarece îţi lipsesc informaţii. Când te frustrezi, trebuie să întrebi: „Ce informaţii îmi lipsesc care ar clarifica această situaţie?"

Am vorbit cu o doamnă care spunea că este frustrată. Când i-am spus că frustrarea apare atunci când îţi lipsesc informaţii, a primit dintr-odată informaţia care îi lipsea. A observat cum oamenii faţă de care simţea frustrare voiau să o vadă ca o nebună pentru că acest lucru îi făcea pe ei să aibă dreptate. Aceasta a fost o informaţie cu adevărat valoroasă pentru ea. Ce libertate ai atunci când îţi dai seama că oamenii au un punct de vedere fix în ceea ce te priveşte?

Participant: Eu parcă am o grămadă de frustrări.

Gary: Pune întrebarea: „De ce informație suplimentară am nevoie în această situație care ar face frustrarea să dispară?"

Participant: Săptămâna trecută cineva m-a mințit iar eu am știut că minte. Nu am întrebat dacă este o minciună dar în interiorul meu s-a ridicat un val potent de energie. Am luat un obiect din inox și am început să-l îndoi ca și când ar fi fost făcut din plastilină. Ce se întâmpla?

Gary: Atunci când recunoști că cineva încearcă să te facă să reacționezi iar tu nu o faci, pășești în puterea și potența care îți sunt disponibile și ai abilitatea de a face tot felul de lucruri pe care nu știai că le-ai putea face.

Dain: Precum bunicuța care ridică mașina căzută peste nepotul ei.

Gary: Cu o singură mână.

Dain: Dacă ai trece dincolo de toate implanturile de distragere și de toate momentele care te distrag de la ce este adevărat pentru tine, ai avea mai multe abilități ca aceasta? Probabil că da. Probabil ai avea mai mult din abilitatea pe care o ai și care a fost ascunsă și sublimată dedesubtul implanturilor de distragere.

Gary: Dacă pricepi că majoritatea oamenilor funcționează din implanturi de distragere și trăiesc în reacție față de tot, și dacă tu nu ai mai trăi în reacție, ai avea posibilitatea de a face lucruri ce nu au mai fost făcute până acum. Aceasta este ținta noastră: să te conducem către locul în care poți face ceea ce nu a mai fost făcut vreodată.

Participant: Și nu am folosit forța pentru a îndoi obiectul de inox.

Gary: Aceasta este puterea și potența pe care le avem, de care aceste implanturi de distragere sunt prevăzute să ne țină departe. Ele sunt anume făcute să ne împiedice să avem acel gen de potență și putere.

Participant: Emoțiile mele au fost întotdeauna necontrolate, mai ales furia și turbarea. Mi-au dominat viața. Am atât de multă nerăbdare și sunt așa o fire vulcanică încât fac prăpăd în sistemul meu nervos. Cât din asta este natural pentru personalitatea mea și cât a fost implantat? Cum să fac față la toate acestea?

Gary: Totul este implantat. Totul poate fi depășit întrucât nivelul de putere și potență care se ascunde dedesubtul implanturilor de distragere este starea la care trebuie să ajungem și de care trebuie să fim conștienți.

Participant: Am o întrebare legată de nerăbdare. Este ea un element al furiei? În cazul meu, foarte frecvent nerăbdarea duce la furie. Nu este la fel ca frustrarea. Apare atunci când încerc să explic ceva sau atunci când aștept ca cineva să facă ceva.

Gary: Prima problemă este că tu ești un humanoid.[4] Cea de a doua problemă este că, probabil, ești ușor autistă ceea ce înseamnă că cealaltă persoană a răspuns deja, chiar înainte să vorbească, iar tu ești gata să mergi mai departe. Ceilalți sunt prea lenți pentru tine. Începi să te înfurii pentru că ți-ai primit deja răspunsul. În sinea ta, le-ai răspuns deja și nu-ți vine să crezi că ei continuă o conversație care s-a încheiat.

Participant: Da.

Gary: Trebuie să pui întrebarea: „Percep toată conversația în mintea mea? Da? Nu? Da! Bine, nu-i bai." Apoi nu vei mai avea acel sentiment de nerăbdare. Vei constata că ești cu trei pași înaintea tuturor din lumea întreagă. Nu e o virtute și nu e o greșeală. Este doar ceva diferit la tine. Poate ai dori să întrebi: „Sunt cu treisprezece pași înaintea acestei persoane?"

Dacă obții un *da*, poți spune: „Bine, voi încetini. Nu voi mai merge cu viteza spațiului și voi merge cu viteza unui melc sau a unui limax și voi fi bine."

Participant: Este ăsta un implant de distragere?

---

[4] Pe această planetă există două specii de ființe bipede. Noi le numim humani și humanoizi. Humanilor le place să urmeze modelul clasic. Le place să se integreze. Nu le place schimbarea. Nu pun întrebări. Sunt în sincron cu toți ceilalți din jurul lor. Humanoizii au altă abordare. Ei întreabă mereu: „Cum pot schimba asta? Ce va face ca acest lucru să fie mai bine? Cum pot debloca această situație?" Ei sunt cei care creează arta genială, operele literare extraordinare și progresul fabulos de pe planetă.

Gary: Nu, este o conştientizare pe care trebuie să o ai cu privire la modul în care funcţionezi. Vezi că modul în care funcţionezi tu este diferit faţă de modul în care funcţionează alţi oameni. Trebuie să ai conştientizarea cu privire la acest lucru. Când ajungi într-un loc în care te simţi nerăbdătoare, există o probabilitate de 99% – cu voi toţi – ca motivul pentru care sunteţi nerăbdători să fie pentru că aţi finalizat conversaţia iar cealaltă persoană încă încearcă să vorbească despre ea. E aşa: „Sunt puţin cam prea conştientă."

Participant: Cu alte cuvinte, trebuie doar să încetinesc şi să permit tuturor celorlalţi să mă prindă din urmă?

Gary: Ei bine, nu te vor prinde din urmă. Tu doar le permiţi să funcţioneze la viteza lor. Doar recunoaşte acest lucru şi îţi va face viaţa mult mai uşoară.

Participant: Poţi vorbi despre comportamentul pasiv-agresiv? Este el un implant de distragere?

Gary: Comportamentul pasiv-agresiv este pur şi simplu doar furie, turbare, mânie şi ură neverbalizate. Asta-i tot. Unora le place să exprime aceste lucruri într-un mod foarte reprimat. Este furie, turbare, mânie şi ură, plus frică. Nu e nimic altceva în afară de asta.

Participant: Cum sunt identităţile oamenilor menţinute în loc de implanturile de distragere? Şi cum putem schimba acest lucru?

Gary: Majoritatea oamenilor cred că reacţia este egală cu acţiunea. De exemplu, fosta mea soţie este o persoană care se înfurie tot timpul. Consideră că furia ei este puterea ei supremă aşa că furia este singurul lucru la care nu va renunţa. Pentru ea, a se agăţa de furie este mai important decât să-şi trăiască viaţa. E în stare să-şi ucidă corpul cu furia aceea. Am văzut-o de curând plecând de la mine. Părea să fie cu zece ani mai mare decât mine, când de fapt e cu cinci ani mai tânără.

Îţi ucizi corpul cu furia de care crezi că este musai să te agăţi. Oamenii se creează pe ei înşişi, îşi creează personalităţile şi vieţile din implanturile de distragere şi de aceea avem această conversaţie. De aceea facem acest *call*.

Lucrurile acestea sunt importante. Sunt mereu uimit când văd că oamenii nu dau atenţie acestor lucruri.

Participant: Gary, mă întristează fosta ta soţie şi cum a plecat cu aşa de multă furie. Am avut o reacţie puternică şi m-a întristat. Ce e asta?

Gary: Eşti tristă pentru ea, tristă pentru mine sau tristă pentru faptul că cineva se poate sinucide în felul acesta?

Participant: E doar aiurea.

Gary: „Este trist" este un lucru. „E aiurea" este o judecată. Şi dacă este doar ceea ce este? Este atât de mult disponibil pentru noi iar oamenii nu aleg ceea ce este mai măreţ. În schimb, aleg ce este mai puţin ca şi când ăsta ar fi lucrul corect de ales. Trebuie să fii dispus să vezi ceea ce este şi să pricepi că asta este alegerea pe care unii oameni o fac în vieţile lor.

Fosta mea soţie îşi iubeşte abilităţile reactive. Aşa se identifică ea ca fiind ea însăşi: „Eu sunt o reacţie." Este modul ei de a dovedi că este cine este. Eu nu aş face aşa.

Participant: Am o furie inexplicabilă, din copilărie, împotriva părinţilor mei. M-am revoltat împotriva a tot ce au spus sau au făcut. Este dificil pentru mine să port o conversaţie normală cu oricare dintre ei timp de cinci minute şi să nu mă înfurii sau să nu explodez. Habar nu am ce este acest lucru sau cum să-l depăşesc căci nu găsesc motivul pentru care mă înfurii aşa. După ce explodez încep să mă simt prost că m-am purtat cum m-am purtat şi se transformă în vinovăţie. Poate exista furie fără motiv?

Gary: Probabil că trăieşti acest lucru pentru că nu iei în calcul vieţile anterioare. Câte vieţi anterioare ai trăit împreună cu părinţii tăi în care ei te-au iubit? De fapt, asta reiese a fi o minciună iar tu te tot agăţi de ea. Ai venit în această viaţă ca să te răzbuni pe ei? Câte vieţi ai trăit împreună cu aceşti oameni? Te-ai întors pentru răzbunare?

Dain: Acesta este un punct de vedere dar, uneori, revii să te răzbuni pentru ceva pentru care nu te-ai răzbunat într-o viaţă anterioară.

Gary: Câte vieți anterioare ai trăit împreună cu ei?

Participant: Îmi apare numărul cinci.

Gary:

Tot ce ai decis din acele vieți care te menține în stare de reacție în această viață, vrei să distrugi și să decreezi în totalitate? Right and wrong, good and bad, POD and POC, all 9, shorts, boys, POVADs and beyonds.

Participant: Dacă ești dispus să învingi furia, și faci POC și POD în mod conștient și regulat, rularea Bars și concentrarea pe banda de implant ar reduce-o?

Gary: Nu trebuie să învingi furia. Trebuie să vezi ce face furia. Îți acoperă puterea și potența. Așadar nu căuta să o învingi; fă POC și POD la tot ce îi permite să te ascundă pe tine de tine.

Participant: Da, dar este un implant, nu-i așa?

Gary: Da, este un implant. Trebuie să faci POC și POD la tot ce-i permite să existe și, foarte curând, nu te vei mai înfuria.

Participant: Să spunem că un client trece printr-un divorț dureros sau o situație în care acuză pe cineva. Ar ajuta dacă ne-am concentra pe banda de implant în timp ce rulăm Bars?

Gary: Ar fi util dar, dacă întrebi „Câte implanturi de distragere ai care mențin acest lucru în loc?", ar putea fi mai rapid.

Dain: Cu Bars te adresezi energiei, ceea ce o blochează în mod direct, pe când banda de implant acoperă o mulțime de considerente dobândite de-a lungul timpului.

Gary: Vei obține mai multe rezultate de la „Câte implanturi de distragere ai care mențin acest lucru în loc?"

Persoana te va întreba: „Ce vrei să spui?"

Tu îi vei răspunde: „Sunt furie, turbare, mânie şi ură, blamare, ruşine, regret şi vinovăţie. Acestea sunt implanturi de distragere. Câte implanturi de distragere ai care menţin toate acestea în loc, pentru ca să te afli într-o permanentă stare de reacţie, în loc să ai abilitatea de a te mişca şi de a acţiona?"

Nu-i poţi forţa pe oameni să facă asta. Adesea, oamenii încearcă să-i forţeze pe ceilalţi către ceva diferit. Nu merge. Ieri mi-a telefonat o facilitatoare Access. Avusese un client care era portal iar entităţile circulau prin el tot timpul. De fiecare dată când ea spunea „portal", el înnebunea.

I-am spus: „Nu vorbi despre asta. De ce vorbeşti despre portaluri? Doar curăţă entităţile şi treci mai departe." Apoi am întrebat-o: „Cât de mult te plăteşte pentru asta?"

Ea a răspuns: „Nimic."

I-am spus: „De aceea nu ai rezultate. Nu-i ceri bani aşa că el vrea să rămână agăţat de acest aspect ca să te poată vedea gratuit, cât mai mult timp posibil. Eşti simpatică, într-un fel. Poate din acest motiv vine la tine. Vrea să aibă parte de sex." Trebuie să priveşti adevărul lucrurilor şi nu ceea ce vrei tu să fie.

Participant: Te rog dă-mi nişte instrumente. Mă surprind că mă înfurii când copiii încep să se vaite şi să devină agitaţi.

Gary: Curăţă toate implanturile de distragere care creează nemulţumirile şi supărarea în acea persoană.

Dacă cineva e furios pe tine şi vorbeşte cu tine, spune-ţi în sinea ta: „POC şi POD la toate implanturile de distragere care creează acest lucru." Dintr-o-dată, persoana respectivă va spune: „Eh, nu contează", şi se va îndepărta. Poţi face acest lucru şi atunci când vorbeşti cu cineva la telefon.

Participant: Sunt conştientă de faptul că fiul meu de 24 de ani este furios şi nu se exprimă. Îl aud în camera lui, jucând jocuri pe calculator. Adesea, îi înjură pe ceilalţi participanţi şi îi jigneşte. Întotdeauna a fost o persoană care s-a ţinut cu dinţii de lucruri. Pot face ceva care să-i dea mai multă uşurinţă?

Gary: Da, rupe-te de el. Trebuie ca în fiecare zi să distrugi și să decreezi tot ce a fost relația ieri. Ce se va întâmpla făcând acest lucru este că el va începe să se schimbe. Acum tu încerci să-l ajuți și dacă recurgi la „ajutor", recurgi la superioritate. El nu a cerut ajutor. Tu crezi că el are nevoie de ajutor dar nu are. E fericit așa cum e.

Participant: Ne-am născut cu implanturi de distragere sau le-am dobândit?

Gary: Ne-am născut cu ele și am fost condiționați cu unele dintre ele de către familia noastră. Este amuzant? Nu.

Participant: Mă poți ajuta cu turbarea și furia rezultate în urma unei traume severe din copilărie care a fost reprimată și uitată zeci de ani și a cărei amintire iese acum la suprafață?

Gary: Amintirile ies la suprafață acum pentru că începi să recunoști implanturile de distragere și ce anume te făcea să șovăi. Este un semn bun. Continuă. Continuă să rulezi curățări pentru toate implanturile de distragere și, în cele din urmă, conștientizarea și amintirile vor reveni. Când vor reveni, vei avea mai multă libertate.

Ce te interesează pe tine este mai multă conștientizare și mai multă libertate; aceasta este ținta. Noi vorbim despre a pune întrebări. Scopul unei întrebări este să-ți ofere conștientizare, nu să-ți dea răspunsuri. Voi, oameni buni, continuați să căutați răspunsuri în loc de conștientizare. Așa că, vă rog, începeți să căutați conștientizarea pe care o obțineți atunci când puneți o întrebare, și nu răspunsurile pe care credeți că le căutați.

FURIE, TURBARE, MÂNIE ȘI URĂ

Participant: Care este diferența dintre furie, turbare, mânie și ură?

Gary: *Furia* este ceea ce ceilalți oameni folosesc ca să te controleze. Este ceea ce folosești și ceea ce suprimi până când explodezi. Asta îți distruge corpul. *Turbarea* este la ce ajungi atunci când adaugi ură furiei tale. După care îți ieși din fire. *Mânie* este atunci când nu te abții. Îți dai drumul și-ți vine să-i omori în pumni pe toţi. *Ura* este un nivel de a te detesta pe tine sau pe oricine altcineva, ceea ce te împiedică să ai claritate.

Participant: Poţi vorbi despre sistemele de secvenţiere trifoldică? Sunt la fel ca implanturile de distragere?

Gary: Sistemele de secvenţiere trifoldică sunt o bandă Mobius ceea ce înseamnă că rulezi la nesfârşit în mintea ta un eveniment care s-a petrecut cu mult timp în urmă, ca şi când s-a petrecut azi. Sistemele de secvenţiere trifoldică sunt, practic, sursa sindromului de stres post-traumatic (PTSD).

Nu sunt acelaşi lucru cu implanturile de distragere dar sunt parte din implanturile de distragere în sensul că se află mereu pe o bandă Mobius, aşa că nu vei scăpa niciodată de ele. Pentru a le curăţa, cheamă toate benzile Mobius care menţin în loc furia, turbarea, mânia şi ura, fă POC şi POD fiecărei benzi Mobius şi la orice te-ai împotrivit şi ai reacţionat, şi cu ce te-ai aliniat şi ai fost de acord, care le permit să existe.

Dain:

Ce actualizare fizică a neschimbabilei şi inalterabilei boli a potenţei şi puterii nu recunoşti ca fiind sursa pentru crearea a ceea ce se ascunde sub toate implanturile de distragere? Tot ce este acest lucru, de un dumnezelion de ori, vrei să distrugi şi să decreezi, în totalitate, te rog? Right and wrong, good and bad, POD and POC, all 9, shorts, boys, POVADs and beyonds.

Gary: Vestea bună este că aceste conversaţii au făcut ca acest proces să fie mai intens.

Ce actualizare fizică a neschimbabilei şi inalterabilei boli a potenţei şi puterii nu recunoşti ca fiind sursa pentru crearea a ceea ce se ascunde sub toate implanturile de distragere? Tot ce este acest lucru, de un dumnezelion de ori, vrei să distrugi şi să decreezi, te rog? Right and wrong, good and bad, POD and POC, all 9, shorts, boys, POVADs and beyonds.

Dain: Apropo, dacă unii dintre voi ați observat că vă simțiți mai distrași, se întâmplă asta din cauza subiectului pe care îl dezbatem? M-am gândit doar să vă atrag atenția în această privință.

Gary: (Râzând) Asta a fost bună, Dain!

Dain:

Ce actualizare fizică a neschimbabilei și inalterabilei boli a potenței și puterii nu recunoști ca fiind sursa pentru crearea a ceea ce se ascunde sub toate implanturile de distragere? Tot ce este acest lucru, de un dumnezeion de ori, vrei să distrugi și să decreezi, te rog? Right and wrong, good and bad, POD and POC, all 9, shorts, boys, POVADs and beyonds.

Participant: La finalul acestei curățări spui: „pentru crearea a ceea ce se ascunde sub toate implanturile de distragere" dar mai devreme ai spus că dedesubtul implantului de distragere se află puterea și potența care doresc să fiu. Mă poți ajuta cu acest lucru?

Dain: Da. Practic, tu ești ceea ce se află sub implanturile de distragere dar ai făcut din putere și potență o boală în loc de ceva ce ai putea avea cu ușurință.

Gary: Este ca și când ai crea o boală legată de potență și putere, în loc să ai ușurință cu puterea și potența totală. Folosești implanturile de distragere pentru a reacționa, în loc să fii acțiunea care ar putea schimba.

Participant: Care este diferența între a face POC și POD la implanturile de distragere comparativ cu benzile Mobius?

Gary: O bandă Mobius este și ea un implant. Atunci când cureți implanturile începi să deblochezi ceea ce permite benzii Mobius să existe și să ruleze continuu în mintea ta ca și când ar fi reală.

Cureți mult mai mult atunci când faci POC și POD unui implant de distragere. Imaginează-ți că încerci să cureți un loc unde e multă dezordine folosind o perie pentru haine sau o periuță de dinți. Și acum, imaginează-ți că iei o mătură şi cureți toată mizeria. Cu implanturile, foloseşti mătura cea mare. Dacă e vorba despre particulele din banda Mobius, aplici varianta cu periuța de dinți.

Ce actualizare fizică a neschimbabilei şi inalterabilei boli a potenței şi puterii nu recunoşti ca fiind sursa pentru crearea a ceea ce se ascunde sub implanturile de distragere? Tot ce este acest lucru, de un dumnezelion de ori, vrei să distrugi şi să decreezi, te rog? Right and wrong, good and bad, POD and POC, all 9, shorts, boys, POVADs and beyonds.

MINCIUNI

Participant: Am o întrebare legată de furie. Pe măsură ce vorbeam, mi-am dat seama că de fiecare dată când apărea furia la mine fie o înăbuşeam, fie o ascundeam pentru ca să nu acționez din furie în viața mea. Stăteam acolo si spumegam sau mă ridicam şi plecam. Când ai spus că ne înfuriem atunci când la mijloc e o minciună, m-am uitat retrospectiv şi mi-am spus: „Dumnezeule! Asta se întâmpla în 90% din cazuri. Nu eram furioasă pe ce se întâmpla, doar fumegam pe dinăuntru şi voiam să plec.

Gary: Când recunoşti că o minciună creează furie şi întrebi: „Este aici o minciună?" ai abilitatea să acționezi, în loc să simți nevoia de a pleca sau de a o accepta. A pleca şi a o accepta nu sunt acțiuni, sunt reacții.

Participant: Deci, în acel context, este prezentă o minciună.

Gary: Ei bine, ar putea fi mai mult de una. Dacă întrebi: „Este o minciună aici?" nu vei crede minciuna şi nu vei crea o reacție pe baza unei minciuni. În schimb, vei pune întrebarea: „Ce se doreşte sau se solicită în acest context?"

Participant: Adică, dacă sunt conştientă că există o minciună, aş putea fi conştientă de o minciună care este proiectată asupra mea sau aş putea fi conştientă de o minciună în propria mea realitate?

Gary: Da, toate astea şi mai mult decât atât. Odată ce recunoşti că există o minciună, ai alegere. Revino la alegere atunci când recunoşti o minciună. Dacă nu recunoşti o minciună, nu te poţi întoarce la alegere.

Participant: Să recunosc: „Aceasta este o minciună" şi apoi să revin la cele patru întrebări?

Gary: Da, întreabă:

- Ce este aceasta?

- Ce fac cu ea?

- O pot schimba?

- Dacă da, cum o schimb?

Participant: În viaţa mea am avut foarte multă furie inexplicabilă şi turbare distructivă, şi am abuzat de ele. Nu au avut niciodată sens pentru mine. De curând am descoperit cât de exact detectez prezenţa unei minciuni. Cât de mult din furia abuzivă faţă de mine însămi este a nu fi conştientă de ce anume sunt conştientă?

Gary: Principalul lucru la care trebuie să te uiţi este: „Cât de mult din acea furie abuzivă este conştientizarea unei minciuni?" Pune această întrebare şi apoi fă POC şi POD la tot ce ai crezut şi ai transformat în implant de distragere pentru că atunci când găseşti o minciună şi nu o recunoşti ai tendinţa să o plasezi în universul implantului de distragere.

Participant: Este acesta motivul pentru care pot fi abuzivă faţă de mine, cu toate că ar putea fi putere şi potenţă nerecunoscute?

Gary: Da. Începi cu conştientizare apoi treci imediat în reacţie pentru că asta fac toţi ceilalţi. Îţi imaginezi că, pentru a fi ca ceilalţi, trebuie să faci ca ei.

Participant: Da, dar furia şi mânia pe care le aveam erau, după părerea mea, atât de urâte şi exagerate încât le transformam în ruşine de mine şi apoi era şi mai multă furie, apoi... ducă-se naibii!

Gary: Tu eşti un măreţ implant de distragere care caută un loc unde să se exprime. Cum stă treaba cu voi ceilalţi?

Ai încercat să te întruchipezi ca un implant de distragere cum sunt, fac şi generează toţi ceilalţi? Nu-i aşa că e drăguţ? Tot ce este acest lucru, de un dumnezelion de ori, vrei să distrugi şi să decreezi, te rog? Right and wrong, good and bad, POD and POC, all 9, shorts, boys, POVADs and beyonds.

Dain:

Ce actualizare fizică a neschimbabilei şi inalterabilei boli a potenţei şi puterii nu recunoşti ca fiind sursa pentru crearea a ceea ce se ascunde sub implanturile de distragere? Tot ce este acest lucru, de un dumnezelion de ori, vrei să distrugi şi să decreezi, te rog? Right and wrong, good and bad, POD and POC, all 9, shorts, boys, POVADs and beyonds.

Gary: Mai zi-le-o o dată, Dain, încă o dată.

Dain:

Ce actualizare fizică a neschimbabilei şi inalterabilei boli a potenţei şi puterii nu recunoşti ca fiind sursa pentru crearea a ceea ce se ascunde sub implanturile de distragere? Tot ce este acest lucru, de un dumnezelion de ori, vrei să distrugi şi să decreezi, te rog? Right and wrong, good and bad, POD and POC, all 9, shorts, boys, POVADs and beyonds.

Gary: Devine şi mai apăsător. Aţi face bine să puneţi asta în buclă şi să o ascultaţi non stop pentru că, ştiţi ceva? Acesta este singurul lucru care vă va scoate de sub rahatul care aţi decis că e al vostru.

Dain:

Ce actualizare fizică a neschimbabilei şi inalterabilei boli a potenţei şi puterii nu recunoşti ca fiind sursa pentru crearea a ceea ce se ascunde sub implanturile de distragere? Tot ce este acest lucru, de un dumnezelion de ori, vrei să distrugi şi să decreezi, te rog? Right and wrong, good and bad, POD and POC, all 9, shorts, boys, POVADs and beyonds.

Participant: Rularea acestor bucle audio ne permite, în mod firesc, să fim energia care trebuie să fim atunci când comunicăm cu oamenii, pentru că trebuie să livrăm un anumit nivel de potenţă în interacţiunile noastre?

Gary: Da. Şi cu cât devii mai conştientă de implanturile de distragere, cu atât îţi vei da seama că dacă ai nevoie ca persoana să reacţioneze într-un anumit mod, tot ce trebuie să faci este să apeşi acest buton – şi-l poţi apăsa.

Nu te obosi să faci asta cu oameni din Access pentru că tu nu cauţi reacţiunea din partea lor, cauţi acţiunea. Dar, cu oamenii care fac munci obişnuite, de exemplu când mergi la centrul de închiriat maşini, sunt oameni pe care îi poţi face să recurgă la blamare, ruşine, regret şi vinovăţie şi-ţi vor da o maşină pentru un preţ mai mic. Tot ce trebuie să faci este să conştientizezi modul în care creezi energia acelui implant de distragere şi, dintr-odată, ei vor face ce ai tu nevoie ca ei să facă, în maniera în care ai nevoie să o facă. Asta nu e răutăcios şi meschin; este doar a fi în această realitate şi a-i face pe ceilalţi oameni să se comporte într-un fel în care funcţionează pentru tine. De fapt, nu o vei face cu prea mulţi oameni.

Când ajungi în punctul în care nu funcţionezi din furie, turbare, mânie şi ură, pentru că acesta este implantul de distragere principal care îţi guvernează viaţa acum, vei avea spaţiul din care îi vei putea manipula şi controla pe alţii, după cum ai nevoie, pentru a obţine rezultatul de care e nevoie, bazat pe a şti de ce anume este nevoie.

Participant: Deci, faptul că alţi oameni îmi conduc viaţa – asta se întâmplă pentru că nu sunt dispusă să manipulez alţi oameni?

Gary: Da, şi mai este pentru că nu eşti dispusă să fii activă. Aşa că, în schimb, eşti în reacţie.

Dain: Ceea ce ni se spune, celor mai mulţi dintre noi, este că sarcina noastră este să fim în reacţie. Chipurile este cu mult mai uşor să fim în reacţie şi nu suntem răspunzători pentru alegerile pe care le facem atunci când suntem în reacție, așa că dăm vina pe alții pentru ce se întâmplă.

Acest lucru, în mod evident nu funcționează pentru tine pentru că, dacă ar fi funcționat, nu ai fi prezentă în acest *call* și, de fapt, nu ai fi fost atrasă de Access Consciousness pentru că Access este despre a-ți face simțită prezența și a fi activă în viața ta în loc să fii reactivă la această realitate și la toate mofturile ei nebunești.

Ce actualizare fizică a neschimbabilei și inalterabilei boli a potenței și puterii nu recunoști ca fiind sursa pentru crearea a ceea ce se ascunde sub implanturile de distragere? Tot ce este acest lucru, de un dumnezelion de ori, vrei să distrugi și să decreezi, te rog? Right and wrong, good and bad, POD and POC, all 9, shorts, boys, POVADs and beyonds.

Participant: Vrei să detaliezi cu privire la a folosi furia pentru sine în mod generativ, pentru a incinera limitările, în loc să o folosim împotriva noastră?

Gary: Când nu ești reactivă din cauza furiei și ești, în schimb, activă în raport cu ea, atunci poți folosi furia într-un mod generativ pentru a-i face pe oameni să acționeze rapid în loc să reacționeze. E ca atunci când am zărit un copil sărind în fața unei mașini. Am spus: „Stop!" A fost furie și a fost și o îndrumare. Dintr-odată, copilul s-a oprit. Nu a fost lovit. Asta a fost furie generativă. Și nu pentru că am știut că se impunea acel nivel de furie, ci pentru că i-am văzut părinții folosind furia împotriva lui. Am reprodus furia aceea pentru a-l determina pe copil să aibă o reacție imediată la orice aveam de spus.

Așadar, acesta este unul din modurile în care să folosești furia generativă pentru a face ceva să se întâmple. Nu este furie deci nu are niciun efect advers asupra corpului tău.

Participant: Am folosit furia pentru a-mi distruge limitări făcând solicitări precum: „Chestia asta chiar se va întâmpla!"

Gary: Asta nu e furie. Nu e nevoie să foloseşti furia pentru a obţine acest lucru. Tot ce trebuie să faci este să foloseşti intensitatea care eşti tu cu adevărat.

Participant: Când mă prind într-un implant de distragere al furiei şi sunt pe cale să mă otrăvesc singur, există vreo curăţare pe care o pot folosi ca să ajut la eliminarea lui?

Dain: Dacă faci POC şi POD la toate implanturile de distragere şi distrugi şi decreezi tot ce se află dedesubtul lor, acest lucru îţi va schimba fiziologia şi efectele furiei în viaţa ta pentru că efectele din viaţa ta se bazează pe faptul că acel implant există.

Sunt trei lucruri la care să te uiţi atunci când vine vorba despre această zonă de furie, turbare, mânie şi ură. Trei lucruri pe care să le faci când apar, iar acestea sunt:

1. POC şi POD la toate implanturile de distragere. Dacă mai este ceva acolo şi tocmai ai avut o conversaţie cu cineva sau e legat de o informaţie, întreabă:

2. Care este minciuna aici, rostită sau nerostită? Odată ce identifici minciuna, atenţia ta se va îndrepta în altă direcţie.

3. Cui aparţine asta? Pui această întrebare pentru că e posibil să percepi furia, turbarea, mânia şi ura care există în lume.

Odată ce ai rulat pentru furia, turbarea, mânia şi ura din viaţa ta, ar trebui să observi că cea mai mare parte s-a disipat. Majoritatea ar trebui să dispară, inclusiv pompa de adrenalină care se creează ca rezultat.

Participant: Nu m-am putut desprinde astăzi.

Gary: Să te întreb ceva: cât de mult din acel de care „nu te poţi desprinde" eşti tu *cumpărând* ceva ce nu este al tău? Mult, puţin sau megatone?

Participant: Megatone.

Gary:

Tot ce ai *cumpărat* şi ai *vândut* la rândul tău, şi ai făcut real pentru tine, care de fapt nu este, vrei să distrugi şi să decreezi în totalitate, te rog? Right and wrong, good and bad, POD and POC, all 9, shorts, boys, POVADs and beyonds.

Asta va spulbera foarte mult aşa că e posibil să te eliberezi de asta. Vă rog să ştiţi că voi toţi continuaţi să *cumpăraţi* chestii. De exemplu, atunci când aveţi părinţi sau surori şi fraţi care sunt furioşi, aveţi tendinţa de a încerca să vedeţi corectitudinea din punctul lor de vedere. Dacă ei recurg la furie, turbare, mânie şi ură, voi încercaţi să vedeţi corectitudinea din acest lucru. Presupuneţi că ei nu ar face acest lucru dacă ar şti ce fac. Nu. Trebuie să recunoaşteţi că este un implant de distragere şi că ei habar nu au ce fac.

Trebuie să pricepeţi partea asta pentru că majoritatea lumii funcţionează fără să aibă habar ce naiba fac sau de ce fac ce fac, dar continuă să facă asta gândindu-se că vor obţine un rezultat diferit.

Dain: Ei nu pun niciodată asta sub semnul întrebării, nu se gândesc niciodată la asta, nu gândesc niciodată ceva diferit – o fac pur şi simplu pentru că asta este ceea ce fac. Şi asta este partea pe care trebuie să o pricepi: 99% dintre oameni nu examinează nimic cu atenţie. Au obţinut un rezultat cu ceva, aşa că merg mai departe în acest fel. Poate au obţinut un rezultat o dată din o mie dar tot se *ataşează* de asta pentru că o dată au obţinut un rezultat.

Participant: M-am mutat recent într-o casă nouă. Iar vineri compania de telefonie ar fi trebuit să vină să-mi instaleze linia telefonică. Mi-am luat zi liberă de la serviciu şi i-am aşteptat dar nu au venit. Am văzut negru în faţa ochilor.

M-am întrebat: „Cine şi ce eşti? Pe cine eşti supărat?" Am priceput că sunt supărat pe mine însumi. Mă gândeam că am greşit şi cât de lipsit de conştientizare sunt. Furia aceea mă menţine să văd greşeala care sunt? Energia acestui lucru este uriaşă. Este a mea sau a altcuiva? Ce ar fi necesar să nu mă duc în greșeala de sine? Sau ce ar fi necesar ca să nu fiu furios ca un câine turbat?

Gary: Dacă începi să te duci în turbare, te afli în implanturi de distragere. Așa că spune:

> Tot ce am făcut pentru a crea acest lucru, distrug și decreez în totalitate. Right and wrong, good and bad, POD and POC, all 9, shorts, boys, POVADs and beyonds.

Odată ce obții o conștientizare că ceea ce faci nu este necesar și nu trebuie să funcționezi așa, o lume complet nouă își poate face apariția pentru tine, lume care nu ar apărea pentru nimeni altcineva. Dar trebuie să fii dispus să pui o întrebare. A te înfuria pe firmele de utilități este la fel de inutil ca și a te înfuria pe guvern.

Participant: Care este întrebarea pe care trebuie să o pun?

Gary: Vor livra ei ceea ce spun că vor livra? În nouăzeci și nouă la sută din cazuri răspunsul este *nu*. Când faci o programare de acest gen, întreabă:

- Adevăr, când se va întâmpla acest lucru?

- Când se va întâmpla acest lucru cu exactitate?

- Îmi poți spune ora exactă?

Spune-le că te va costa 2.000 de dolari să faci asta pentru că vei rata ceva important și trebuie deci să știi cu mai multă precizie când se va întâmpla acest lucru.

Participant: Când o femeie e însărcinată și are o contracție sau când o femeie are o durere menstruală, e ceva normal și spui: „Asta e o contracție" sau „Asta e de la menstruație!" Așa arată furia pentru mine. Când apare, știu exact ce este.

Dain: (*rostit cu intensitate*) POC și POD la acest lucru. Este un implant de distragere. Nu mă face să fiu necioplit față de tine. Fă POC și POD la rahatul ăsta. Despre asta discutăm de o oră și jumătate. Asta faci. Ai observat energia asta? Este un exemplu de intensitate. Acest lucru este posibil atunci când funcționezi fără niciun implant de distragere ca realitate a ta. Acum că ai experimentat-o, nu o vei uita.

Gary: Și probabil că vei depăși turbarea sau probabil că nu – pentru că e atât de amuzantă.

Participant: *Mulțumesc.*

Dain: Sper că v-a plăcut acest *call* și sper să vă dați voie ca pentru următoarele câteva săptămâni să folosiți acele trei lucruri:

1. POC și POD la implanturile de distragere.

2. Întreabă: este o minciună, rostită sau nerostită?

3. Întreabă: cui aparține acest lucru? Și fă POC și POD la tot ce nu este al tău și menține acel lucru în loc.

Dacă faceți asta, să sperăm că vă eliberați de aceste lucruri în următoarele câteva săptămâni.

Gary: Noi ne-am dori să vă eliberați de ele, ne-am dori să fiți acțiunea care puteți fi în lume în locul reacției care ați încercat să fiți.

Participant: *Sunt foarte multe de făcut și nu am timp să trec prin ele în timpul zilei așa că am rulat procesările în buclă în timpul somnului. Funcționează dacă le am fără sonor sau cu sonorul dat la minim?*

Gary: Pe deplin.

Dain: Chiar bine, de fapt.

Gary: Asta înseamnă să profiți la maximum de toate orele din zi. Să te bucuri de ziua pe care o ai și să-ți rezervi seara pentru a face POC și POD la toate chestiile astea.

Dain: Mulțumim tuturor. Pe curând.

Capitolul DOI

BLAMARE, RUȘINE, REGRET ȘI VINOVĂȚIE

Gary: Bun găsit tuturor. Astăzi vorbim despre implanturile de distragere blamare, rușine, regret și vinovăție. Aceste implanturi de distragere au rolul de a elimina tot ce este puternic în legătură cu tine.

În ultimul *call* am vorbit despre furie, turbare, mânie și ură și despre modul în care prin intermediul lor te plasezi într-un loc de reacție și îți pierzi abilitatea de a acționa. Cu blamare, rușine, regret și vinovăție te duci într-un loc de judecată din care nu poți acționa. Devii reactiv. Nu acționezi niciodată pe deplin și bănuiești întotdeauna, instantaneu, o greșeală. Acest lucru nu este în avantajul tău.

Participant: Poți vorbi despre implanturile de distragere și despre toate felurile în care luăm asupra noastră universul altcuiva?

Gary: Ne-am condiționat astfel încât să fim sincronizați cu toți ceilalți. În această realitate credem că a fi sincronizați este mai important decât orice altceva. Câți dintre voi ați avut sentimentul că, într-un fel, nu vă conformați normelor la fel cum o fac ceilalți?

Participant: În această viață, am ales o familie de evrei. Poți face o curățare, te rog, despre o astfel de moștenire unde vinovăția, rușinea, blamarea par a fi contagioase?

HUMANI ŞI HUMANOIZI

Gary: Aproape toate bisericile, cultele şi religiile sunt menite să te plaseze în blamare, ruşine, regret şi vinovăţie cât mai des posibil.

Partea interesantă cu privire la acest lucru este că funcţionează foarte bine cu humanoizii pentru că ei se judecă pe ei înşişi. Pe de altă parte, humanii nu se judecă pe ei înşişi. Ei au tendinţa să nu recurgă la vinovăţie. Humanii recurg la blamare. Spun: „Nu m-am putut abţine. Tu m-ai determinat să fac asta." Te învinovăţesc pe tine. Humanii îţi vor spune mereu cum tu greşeşti şi ei au dreptate.

Dain: Blamarea, ruşinea, regretul şi vinovăţia funcţionează doar pe humanoizi; funcţionează doar împotriva humanoizilor. Aşadar, dacă eşti un humanoid vei avea mereu humani care te vor blama, care vor refuza să-şi asume orice responsabilitate şi care vor încerca să te facă de ruşine. Vor încerca să te facă să regreţi şi să te simţi vinovat în timp ce ei nu vor trăi asta niciodată.

Din punctul de vedere human, blamarea, ruşinea, regretul şi vinovăţia sunt un mod grozav de a aduce humanoidul la acelaşi nivel. Ele reduc humanoizii la nivelul humanilor pentru că atunci când funcţionezi din blamare, ruşine, regret şi vinovăţie funcţionezi întotdeauna din mai puţin decât eşti. Aceste implanturi de distragere sunt un fel de a te face pe tine, humanoid, să te integrezi cu humanii, sunt un mod de a te face să te integrezi în această realitate pentru a putea fi controlat de către humani.

Gary: Implanturile de distragere sunt menite să te sincronizeze în realitatea humană şi, odată ce dai deoparte implanturile de distragere, începi să ai puterea şi potenţa ta, ca humanoid.

Participant: A fi conştient de implanturile de distragere şi de toate sistemele declanşatoare care le permit să existe şi să mă controleze – şi a fi capabil să aleg potenţa care se află dedesubtul lor – mi-au schimbat realitatea şi mi-au permis să am mai multă energie decât am ştiut că este posibil. Epuizarea profundă din corpul şi din fiinţa mea, de care am fost conştient ani la rând, s-a disipat iar toată potenţa de dedesubt este acum folosită în mod generativ.

Dain: De aceea discutăm despre fiecare dintre aceste implanturi de distragere în seturi de câte patru. Fiecare set are nevoie de o anumită cantitate de energie pentru a le menține în existență.

Gary:

Câtă energie folosești pentru a menține blamarea, rușinea, regretul și vinovăția ca adevărate pentru tine? Multă, puțină sau megatone? Tot ce este acest lucru, de un dumnezelion de ori, vrei să distrugi și să decreezi în totalitate, te rog? Right and wrong, good and bad, POD and POC, all 9, shorts, boys, POVADs and beyonds.

Participant: Blamarea, rușinea, regretul și vinovăția sunt întotdeauna îndreptate spre mine? Sunt îndreptate doar spre mine? E corect?

Gary: Nu. Oamenii te vor blama și te vei blama și tu.

Dain: De fapt, blamarea nu funcționează cu humanii. Dar poți blama humanoizii spunând ceva precum: „A fost vina ta. Tu m-ai determinat să fac acest lucru.”

Participant: Mie mi se pare că doar eu mă blamez. Simt doar rușine pentru corpul meu și pentru mine. Nu simt rușine pentru nimeni altcineva în afară de mine. Asta e ce vreau să spun. Nu fac asta nimănui altcuiva, numai mie.

Gary: Da, e corect. Are scopul să te interiorizeze. Te face să te vezi mereu ca pe o greșeală.

Ce actualizare fizică a bolii autoabuzive, interiorizatoare, autoflagelatoare, automutilatoare, autoumilitoare a blamării, rușinii, regretului și vinii nu recunoști ca fiind sursa eliminării lui *a fi* în favoarea greșelii de sine? Tot ce este acest lucru, de un dumnezelion de ori, vrei să distrugi și să decreezi în totalitate, te rog? Right and wrong, good and bad, POD and POC, all 9, shorts, boys, POVADs and beyonds.

Corpul

Participant: Am oferit și am primit foarte multe procese pentru corp și de fiecare dată se deblochează și mai mult din aceste lucruri. Chiar dacă poți face POC și POD acestor implanturi de distragere, nu sunt sigur că poți ajunge la un rezultat fără să faci și procese pentru corp.

Gary: Acesta a fost motivul pentru care am creat clasa de procese pentru corp. Am observat că putem face POC și POD mult timp dar, în cazul în care corpul nu primește partea de care are nevoie, nu poate ajunge la libertate. Corpul este parte integrantă din a deveni tot ceea ce ești. Este despre a deveni cine ești. Acesta este motivul pentru care am creat procesele pentru corp.

Participant: Deblocarea acestor lucruri a fost prioritatea mea numărul unu în viață și încep să mă recunosc pe mine pentru prima oară. Așa că îți mulțumesc.

Gary: Eu îți mulțumesc. Să știi că dacă faci MTVSS[5] pe coroană și perineu este foarte posibil să obții o schimbare uriașă în ce privește aceste implanturi de distragere.

Dain: MTVSS deblochează lucruri la un nivel energetic diferit față de procesările verbale. De mult timp spunem că MTVSS deblochează ADN-ul tău. Parte din ce s-a întâmplat a fost că am fost „tipăriți" în această realitate folosind implanturile de distragere. Dacă nu ai făcut clasa de procese pentru corp, îți recomand cu căldură să o faci. Vei învăța să faci MTVSS și multe alte minunate procese pentru corp.

Extrem de mulți oameni care au făcut clasa pentru corp au spus: „Nu am crezut niciodată că acest lucru este posibil! Nu am crezut niciodată că acest lucru ar putea exista! Nu m-am gândit că acest aspect din ce aș putea fi ar putea să apară!" Practicând aceste procese, s-au deblocat extrem de multe lucruri pentru aceste persoane. Dă voie acestui lucru să existe în

---

[5] MTVSS (Sisteme de desfacere a valenței moleculare terminale) este un proces pentru corp creat de Access Consciousness, blând și profund relaxant, care presupune o atingere ușoară.

conştientizarea ta pentru că aceste procese pentru corp schimbă aspecte dintr-un punct complet diferit faţă de procesarea verbală.

Participant: Ai menţionat impactul implanturilor de distragere asupra corpului. Este corpul afectat în mod diferit, în funcţie de implanturi?

Gary: Nu neapărat. Dar toate afectează corpul într-un fel sau altul pentru că le închizi în corp, prin faptul că le permiţi să fie mai potente decât tine. Asta deoarece toate acestea sunt o bandă Mobius care rulează în buclă continuu, astfel încât să nu poţi ieşi din sistemul automat de rulare al acestei realităţi.

Vinovăţia

Participant: Care este cea mai bună cale de a eradica pentru totdeauna sentimentul generalizat de vinovăţie care apare atunci când am puţin timp liber pentru mine?

Gary: Întâi de toate, nu e că ai timp liber pentru tine. Nu există timp liber. Este vorba că te simţi vinovată că nu faci ceva ce ai decis că nu vei face atunci când îţi aloci timp pentru tine. Acesta este unul dintre motivele pentru care vina este prezentă. Este pentru a te face să simţi că nu ai niciodată valoare, astfel încât să nu fii niciodată tu însăţi. Trebuie să fii altcineva.

Dain:

> Ce actualizare fizică a bolii autoabuzive, interiorizatoare, autoflagelatoare, automutilatoare, autoumilitoare a blamării, ruşinii, regretului şi vinii nu recunoşti ca fiind sursa eliminării lui *a fi* în favoarea greşelii de sine? Tot ce este acest lucru, de un dumnezelion de ori, vrei să distrugi şi să decreezi în totalitate, te rog? Right and wrong, good and bad, POD and POC, all 9, shorts, boys, POVADs and beyonds.

Participant: Gary, habar nu am ce înseamnă jumătate din cuvintele acestea. Vrei să vorbeşti despre ele, te rog?

Gary: *A interioriza* înseamnă a te uita înăuntrul tău să vezi unde greşeşti. Atunci când spui: „O, ar fi trebuit să fac asta. Mă simt ruşinat. Am ruşine în corpul meu. Sunt copleşit de vină. Sunt rău."

Autoumilirea este similară. Este atunci când spui: „O, sunt o persoană îngrozitoare. Greşesc atât de mult." Creează multă fervoare religioasă pentru oameni iar ei trec în autoflagelare.

Autoflagelarea este ce a făcut tipul din „Codul lui Da Vinci". S-a biciuit singur şi şi-a pus un ciliciu pe coapsă pentru a crea durere. Acele lucruri au la bază ideea că în tine există o greşeală fundamentală, înnăscută. Acestea sunt moduri de a te face să fii cumva ca Dumnezeu, nefiind tot ceea ce ai considerat greşit. Dar dacă nu ar fi nimic fundamental greşit în ce te priveşte?

Dain: Acestea sunt lucruri care creează sentimentul că există în tine o greşeală înnăscută iar oamenii pot folosi asta pentru a declanşa acest lucru în tine, astfel încât să recurgi la acel punct de vedere în mod continuu, la nesfârşit. Energii specifice pot să le declanşeze.

Participant: De la ultimul call, am sentimentul că există un „eu" dedesubtul tuturor acestor lucruri. Este un implant de distragere şi acum este şi un „eu".

Gary: Le spuneam oamenilor despre implanturile de distragere şi ziceam: „Dacă reacţionezi la aceste implanturi, nu eşti cu adevărat tu însuţi."

Presupuneam că oamenii vor spune: „Ah! Nu sunt eu acesta. Este un implant de distragere" şi că nu-l vor *cumpăra* dar am presupus greşit. (Presupunerea face şi din tine, şi din mine nişte tâmpiţi). Dar oamenii fac acest lucru pentru că este atât de înrădăcinat şi sincronizat. Este la fel cu înotul sincron unde toţi folosesc braţele în acelaşi fel, în acelaşi moment. Sau este precum dansul. Toată lumea face aceiaşi paşi ca şi când ar merge undeva, dar nu merg nicăieri. Doar dansează cu toţii pe aceeaşi melodie.

Aceasta este problema. E ca şi când ai fi un fel de marionetă. Nu ai nicio alegere. Blamare, ruşine, regret şi vinovăţie elimină alegerea. De aceea facem acest *call*. Într-un fel, oamenii fie a) nu pricep acest lucru, fie b) nu-şi dau seama că, de fapt, au alegere să aleagă dacă să aibă sau nu această problemă.

Participant: Am renunțat cumva la alegere? Așa cum am spus, am sentimentul că este un „eu" acum și un „eu" de dinainte și am și toate aceste implanturi de distragere.

A FI VERSUS NEVOIA DE A FACE

Gary: Da, dar vezi tu, noi vorbim despre *a fi*. În această realitate ești încurajat să fii sau ești încurajat să faci?

Participant: Să faci.

Gary: Da. Și cu aceste implanturi de distragere este în felul următor:

- Blamare — ai făcut-o greșit.

- Rușine — am făcut-o greșit.

- Regret — nu ar fi trebuit să fac asta.

- Vinovăție — cum pot să fac un lucru atât de îngrozitor?

Toate acestea sunt locuri în care *a face* devine mai grozav decât *a fi*. Dacă începi să-ți dai seama că aceste implanturi de distragere te împiedică să fii, poți începe să pricepi că *a fi* se află dedesubtul lor. Este ceea ce se ascunde sub implanturile de distragere.

Prima serie: furie, turbare, mânie și ură a fost despre potență și putere. Această serie: blamare, rușine, regret și vinovăție este despre *a fi*.

Participant: Este ca și când nici nu știi că-ți conduc viața.

Gary: Da, îți conduc viața. Acesta este cel mai important lucru pe care l-ai spus. Sunt o mie de feluri în care ai renunțat să ai control asupra vieții tale și să-ți conduci propria viață. Nu ai nicio abilitate de a face altceva decât să reacționezi la o situație sau să reacționezi la o serie de circumstanțe cu răspunsuri specifice.

Dain: Implanturile de distragere te scot în afara unui set de reacții pe care tu, ființa, le-ai avea, și te plasează în reacții care te conectează din nou la această realitate. Acolo unde ceva te-ar putea expansiona dincolo de această realitate, aceste implanturi se întorc și-ți înnoadă firele în această realitate astfel încât contribui mereu acestei realități în loc să o demolezi sau să o deblochezi.

Ce actualizare fizică a bolii autoabuzive, interiorizatoare, autoflagelatoare, automutilatoare, autoumilitoare a blamării, rușinii, regretului și vinii nu recunoști ca fiind sursa eliminării lui *a fi* în favoarea greșelii de sine? Tot ce este acest lucru, de un dumnezelion de ori, vrei să distrugi și să decreezi în totalitate, te rog? Right and wrong, good and bad, POD and POC, all 9, shorts, boys, POVADs and beyonds.

Gary: Ar trebui adăugat la finalul procesării: „nevoia de a face".

Dain:

Ce actualizare fizică a bolii autoabuzive, interiorizatoare, autoflagelatoare, automutilatoare, autoumilitoare a blamării, rușinii, regretului și vinii nu recunoști ca fiind sursa eliminării lui *a fi* în favoarea greșelii de sine și a nevoii de *a face*? Tot ce este acest lucru, de un dumnezelion de ori, vrei să distrugi și și să decreezi în totalitate, te rog? Right and wrong, good and bad, POD and POC, all 9, shorts, boys, POVADs and beyonds.

Gary: Uau!

Participant: Pe măsură ce rulai fraza de curățare, termenul „autoeradicare" ieșea la suprafață.

Gary: Atunci când te uiți la *a face* în loc de *a fi*, asta este eradicarea ființei. Această întreagă zonă este menită să-ți anihileze ființa în favoarea corectitudinii de a face ceva care este greșit, pentru a dovedi că greșești. Așa că, în ultimă instanță, este anihilarea completă a sinelui iar tu ai sentimentul că ești invizibil și de nevăzut.

Participant: De unde știi dacă ceva provine de la un implant de distragere sau de la o entitate?

Gary: Singurul mod de a spune dacă este o entitate (și de obicei nu este, de obicei este un răspuns automat) este dacă auzi în sinea ta cuvântul „tu": „Tu ești rău. Tu ai greșit. Tu ești de vină." Este felul în care entitatea te controlează. Entitățile folosesc implanturile de distragere ca o metodă să te controleze.

Dain: Tu ai spune mereu „Eu". Dacă auzi „tu" în sinea ta sau „tu" în ceea ce gândești cu privire la tine, aceea este o entitate. Dacă auzi „tu", te rog să știi că nu ești tu. Este o entitate.

PUTERE ȘI POTENȚĂ

Participant: De la ultimul call despre furie, se pare că trăiesc mai multă furie decât am trăit vreodată în viața mea, mai ales în ultimele câteva zile. Am rulat curățările și am făcut POC și POD, dar par a fi ca niște pișcături pe spinarea unui elefant. Nu par a schimba prea multe.

Gary: Dacă recurgi la furie, turbare, mânie și ură atunci ai blamare, rușine, regret și vină pentru faptul că ai fost furios și, în plus, înveți cu mare zel cum să te pedepsești pe tine însuți prin a-ți suprima mereu furia. Faptul că furia se intensifică indică, probabil, că te muți în următorul implant care este unul din modurile în care te învinovățești pentru fiecare alegere pe care o faci.

Dain: În ultimul call am vorbit despre ideea că furia este, de fapt, potență cu un implant de distragere atașat. Prin urmare, când înăbușim implantul de distragere al furiei, înăbușim și potența.

Iar chestia despre blamare, rușine, regret și vinovăție reprezintă felul în care mulți dintre voi le faceți să fie greșeala de sine.

Discutam deunăzi cu Gary la cină. Ca rezultat al unor alegeri diferite pe care le-am făcut fiecare, lucrurile încep să apară foarte diferit și există multe posibilități disponibile nouă și, cu toate acestea, mergeam într-un loc din care învățasem să funcționez și care era: „Ce anume nu fac încă? Ce nu se întâmplă? Ce ar trebui să se întâmple și nu se întâmplă?"

Gary a spus: „Asta este parte din blamarea, ruşinea şi regretul lucrurilor. De ce nu întrebi: „Care este posibilitatea aici pe care nu am ales-o încă, sau nu am îmbrăţişat-o, sau nu am recunoscut-o?"

Gary: Este cu adevărat important să începi să recunoşti acest lucru. Poate că nu recunoşti asta dar ai foarte multă putere şi potenţă. Faptul că recurgi la furie este un semn bun, nu un semn rău.

Trebuie să întrebi: „Folosesc furia pentru a-i controla pe oameni? Sau sunt furios pentru că persoana aceasta mă calcă pe nervi şi ştiu că nu e necesar să fie aşa?"

Participant: Da, văd potenţa de dedesubtul furiei dar eu...

Gary: Nu întrebi: „Apelez la potenţă sau la furie în acest caz?" Energia potenţei şi a furiei sunt foarte asemănătoare. Dar nu sunt la fel.

Dain: Sunt foarte apropiate dar există libertate şi spaţiu în potenţă, care nu se regăsesc în cazul furiei.

Gary: Aşa că începe să întrebi: „Apelez la potenţă sau la furie în această situaţie?" Dain obişnuia să spună: „Sunt atât de furios legat de acest lucru" iar eu râdeam întotdeauna.

Dain: Ceea ce, trebuie să spun, nu te face să fii mai puţin furios atunci când crezi că eşti furios.

Gary: Eu începeam să râd pentru că îmi dădeam seama că nu avea nimic de-a face cu furia. Întotdeauna era potenţa lui care ieşea la suprafaţă. Aşa că râdeam iar Dain se înfuria şi mai tare iar eu îi spuneam: „Grozavă potenţă, omule!" La care Dain spunea: „Ah, eşti peste măsură de exasperant!" iar eu îi răspundeam: „Da, ştiu! Nu e amuzant?"

Eşti extrem de potent iar atunci când eşti potent, aşa cum sunteţi cu toţii, vei descoperi că acea energie va ieşi la suprafaţă. Trebuie să întrebi: „Este asta potenţă sau furie?" Diferenţa dintre cum se simte potenţa şi cum se simte furia este foarte subtilă dar există o diferenţă. Aşa a fost introdus implantul de distragere. Furia a fost suficient de aproape de potenţa ta, cât să i se poată atașa chestia asta. Același lucru se aplică și în cazul lui *a face* și *a fi*. De aceea aceste aspecte sunt atât de perfide și supărătoare.

Participant: Potența are nevoie să fie canalizată în vreun fel?

Gary: Nu. Pentru început, trebuie doar să fie recunoscută. Vei învăța mai târziu să o canalizezi. Învață mai întâi să o recunoști și, mai târziu, poți învăța să o folosești.

Participant: Uneori, conștientizez anumite lucruri care se petrec în corpul meu și în starea mea de conștientizare. Potența iese la iveală din ce în ce mai mult. Câteodată pare a fi o combinație simultană între sistemul declanșator al implanturilor de distragere și potență.

Gary: Așa au fost create implanturile de distragere. Pentru a avea orice fel de implant, fie trebuie să te aliniezi și să fii de acord cu ceva, fie trebuie să te împotrivești și să reacționezi la acele aspecte. Poate că nu te-ai împotrivit sau nu ai reacționat la acele lucruri, dar te-ai aliniat și ai fost de acord cu potența ta – și este o legătură foarte strânsă între potență și furie. Alinierea și acordul cu potența au fost componentele care au fost necesare pentru a induce electronic acest implant în câmpul tău.

Participant: Ce vrei să spui prin „aliniere și acord cu potența mea"?

Gary: Când ești cu adevărat potent, spui: „Hei! Sunt atât de puternic!" Asta este aliniere și acord cu puterea ta.

Noi încercăm să deblocăm toate acestea pentru ca tu să ai un alt fel de *a fi* în lume, un alt fel de *a face* în lume și un alt fel de a funcționa care îți vor permite puterea și potența și toate componentele lor.

Participant: Fac o confuzie între a fi și a face?

Gary: Cu toții facem confuzie între *a fi* și *a face* pentru că am fost învățați că trebuie să *facem* pentru a dovedi că *suntem*. Dar nu trebuie să *faci* pentru a dovedi că *ești* pentru că dacă *ești*, ai foarte multe de *făcut*. Și atunci când faci ceva, o faci într-o clipă. De exemplu: ambalam niște antichități într-un container și le pregăteam să le expediez în Australia. E o muncă imensă. Brendon a venit să mă ajute şi în două zile am finalizat totul. Era şi un paravan pe care voiam să-l trimit dar trebuia să i se refacă tapiţeria pe spate. L-am dus la tapiţer la ora zece dimineaţa şi l-am luat înapoi la ora şase seara. Gata! Tapiţerii nu procedează aşa.

Atunci când eşti tu însuţi, totul în lume se aliniază şi se pune de acord pentru a-ţi permite ţie ca lucrurile să se întâmple instantaneu. Asta se întâmplă din ce în ce mai mult, nu din ce în ce mai puţin. Atunci când ieşi din zona lui *a face* şi treci în a fi capabil *să fii*, lucrurile se întâmplă instantaneu şi cu uşurinţă.

Fiecare dintre aceste implanturi de distragere: blamare, ruşine, regret şi vinovăţie au legătură cu: „Am făcut-o greşit. Nu ar fi trebuit să o fac." Este *a face* din punctul de vedere al greşelii. A fi în alegere este un univers complet diferit. Schimbă modul în care funcţionezi în viaţă. Noi încercăm să vă aducem în punctul în care puteţi fi voi înşivă şi orice faceţi se produce cu atâta uşurinţă şi cu atâta bucurie încât simţiţi că nu faceţi nimic de fapt. Simţiţi că staţi nemişcaţi şi toţi ceilalţi vă văd cum vă mişcaţi cu viteza spaţiului.

Participant: Facem în loc să alegem? Şi dacă alegem, chiar trebuie să facem?

Gary: Tocmai ce te-ai dus în implantul de distragere „nu trebuie să fac".

Participant: Te rog explică acest lucru.

Gary: Dacă *eşti*, atunci *a face* este doar parte din *a fi*. Este doar una din multele alegeri pe care le ai la dispoziţie. Tu crezi că *a face* este ceva ce nu vrei să faci. Crezi că vrei să alegi pentru ca *a face* să se producă pur şi simplu. Nu e chiar aşa. Ce descrii tu este aliniere şi acord cu ideea că *a fi* nu implică *a face* – iar acest lucru permite să îţi fie ataşat implantul.

Participant: Pricep, Gary. Mulţumesc. Voi reasculta asta de 25 de milioane de ori.

Punct de vedere interesant

Dain: Asta este ceea ce instrumentul „Interesant punct de vedere că am acest punct de vedere" dă la o parte. Dacă ai face asta timp de șase luni, ai fi liber. Fiecare dintre aceste implanturi de distragere funcționează dintr-o limitare în cadrul căreia te-ai aliniat și ai fost de acord cu ceva sau te-ai împotrivit și ai reacționat la ceva, ceea ce înseamnă că nu ești „punct de vedere interesant".

Cu „Interesant punct de vedere că am acest punct de vedere" *a fi* devine cu mult mai ușor. Așa cum a subliniat Gary, există o diferență foarte mică între furie și potență. Și, dacă ești dispus să fii un „punct de vedere interesant", potența ta se amplifică.

De aceea introducem „punct de vedere interesant" și a fi în permisivitate, la clasele de început din Access Consciousness. Atunci când ești în permisivitate nu te aliniezi și nu ești de acord, și nici nu te împotrivești sau reacționezi. Totul este doar un punct de vedere interesant. Încercăm să-i ducem pe oameni într-un punct în care să nu poată fi afectați de orice este un punct de vedere limitativ.

Participant: Așadar, dacă trecem în „punct de vedere interesant" nu trecem în aliniere sau acord nici măcar cu ce e pozitiv?

Gary: Exact.

Participant: Mulțumesc.

Participant: Când vorbești despre alinierea cu potența mea, mă întristez. Îmi recunoșteam potența, care este ceva ce îmi place cu adevărat, ceva ce am creat sau am ales și ceva care este formidabil cu privire la viața mea, și apoi am distrus-o imediat după ce am recunoscut-o.

Gary: Ce este greșit cu privire la distrugere?

Participant: Nu e amuzant – și aș dori să schimb asta.

Gary: Trebuie să recunoşti la ce eşti bun şi apoi să distrugi tot ce creează acel lucru ca o limitare. Dacă spui: „Ah! Lucrul acesta e atât de minunat!" sfârşeşti prin a-l crea ca o limitare. În loc de „Lucrul acesta e atât de minunat!" spune: „Ah, e atât de interesant că am această abilitate. Grozav. Ce altceva mai am?"

Dain: Există tentaţia de a încerca să stai într-un singur loc.

Gary: Stai puţin! Tocmai mi-am dat seama de ceva. Partea cu *a-ţi plăcea* o face să fie *a face* în loc de *a fi*. „Îmi place asta atât de mult la mine" este o concluzie. Dacă o faci ca un punct de vedere interesant, întrebi: „Şi ce altceva mai am la dispoziţie?" Se transformă în întrebare în loc de concluzia „Îmi place asta la mine", ceea ce o transformă într-un *a face*.

Participant: Tocmai am spus: „E grozav, ce altceva e posibil?" De aceea am fost derutat că a apărut partea cu distrugerea.

Gary: Cum ar fi: „E grozav. Pot să distrug şi acest aspect şi ce altceva pot crea care este chiar mai grozav?"

Participant: (râzând) Deci pot să întreb „Ce altceva pot crea care ar fi şi distractiv?"

Gary: Da. „Ce ar fi mai grozav şi mai distractiv decât asta?"

Dain: Trebuie să existe un nivel constant de mişcare înainte, care provine de la a fi în întrebare. Altfel, te vei retrage la cel mai mic numitor comun al acestei realităţi, unde sălăşluiesc implanturile de distragere şi tot ceea ce este apăsător şi nu-ţi place legat de această realitate.

Există tendinţa de a gândi: „Antidotul lui a mă urî pentru totdeauna va fi să-mi placă acest lucru în ceea ce mă priveşte." Nu, nu este asta. Cunosc facilitatori Access care spuneau acest lucru. Spuneau: „Asta continuă să genereze o capcană în lumea mea". Mi-am dat seama că ei încercau să folosească o polaritate pozitivă pentru a debloca o polaritate negativă din care funcţionau – care este punctul de vedere al acestei realităţi.

Cheia este să mergi mai departe fără polaritate. Pentru asta, foloseşte:

- Interesant punct de vedere că am acest punct de vedere.

- Ce altceva pot crea, care este chiar mai măreţ decât asta?

Gary: Da. Şi apoi te poţi mişca fără polaritate.

Participant: Genial.

Participant: Eu sunt trainer şi speaker şi ador ceea ce fac. Nu a trebuit să muncesc foarte mult în viaţă şi întotdeauna a existat o parte din mine căreia nu îi place să muncească. Îmi place să mă joc. Mă întreb...

Gary: Cu alte cuvinte, ca cineva care *este* cu adevărat, pentru tine *a face* înseamnă *a te juca*. Partea asta ai nimerit-o. Aşa poţi face bani. Întreabă: „Cu ce mă pot juca azi care îmi va face bani imediat?"

Participant: Am simţit mereu că e ceva acolo care mă ţine departe de a face sau a fi asta.

Gary: Observă că ai spus *a face* care este implantul de distragere. De câte ori treci la *a face* ca punct de vedere, îşi fac apariţia blamarea, ruşinea, regretul şi vina. Ruşine pentru faptul că nu-ţi place să munceşti. Blamare pentru faptul că trebuie să munceşti. Regret pentru că nu faci bani în modul corect. Şi vină pentru că încă te zbaţi. Toate acestea sunt despre *a face*, nu-i aşa?

Participant: Da.

Gary: *A fi* este sursa pentru a introduce joaca în toate lucrurile. Şi, când începi să te joci cu totul, poţi crea şi genera constant. *A fi* este sursa generării. *A fi* este sursa creaţiei. Când *a fi* este însoţit de joacă, înseamnă a alege cum te vei juca azi pentru a stabili ce ţi-ar plăcea să creezi imediat.

Participant: Aş vrea să împărtăşesc experienţa mea de săptămâna trecută. Obişnuiam să fiu foarte furioasă pe soţul meu. Am făcut POD şi POC furiei de fiecare dată când a ieşit la suprafaţă şi a funcţionat de minune. Dar acum soţul meu este cel care se înfurie! Devine din ce în ce mai intens. A ajuns la punctul în care este abuziv. Eu acum nu mai sunt furioasă dar fug atunci când este el. Ce înseamnă lucrul acesta? De ce se înfurie când nu mă înfurii eu?

Gary: Trebuie să recurgă la furie pentru a încerca să te controleze acum, pentru că vechiul sistem nu mai funcționează.

Dain: El încearcă să mențină vechiul sistem pe care tu tocmai l-ai schimbat. Iată ce poți face: când se înfurie, fă POC și POD la toată furia, turbarea, mânia și ura, la toată blamarea, rușinea, regretul și vinovăția și la toate implanturile de distragere din lumea aceasta.

Gary: Fă-o în tăcere.

Dain: Da, nu cu voce tare altfel îți va da una peste ochi.

Participant: Uneori este atât de intens încât plec de acolo. Este prea mult de suportat pentru starea mea de confort.

Gary: Nu fugi. Rămâi acolo și coboară-ți barierele ca să nu mai aibă în ce să dea. Nu lăsa energia să vină spre tine. Împinge barierele jos și trage energia prin tine.

Dain: Asta a trebuit să facă Gary însuși pentru că fosta lui soție era extrem de furioasă. El a primit informația că modul în care poate face acestei situații este de a sta în prezența ei, de a-și coborî barierele și de a trage puternic energie prin el. Înainte ca el să înceapă să facă acest lucru, ea a țipat la el și a proferat injurii timp de 45 de minute până când, într-un final, a reușit să-l facă să-și coboare barierele, după care s-a calmat în trei minute. Gary are experiență personală cu situații din acestea.

Gary: Dă-mi voie să spun că am multă experiență personală cu acest aspect. Nu este amuzant.

Participant: A da înapoi este reacție în loc de potență?

Gary: Da, când încerci să dai bir cu fugiții este o reacție. Este ca și când ai încerca să creezi o barieră prin care persoana cealaltă nu poate trece. Nu crea bariere. Asta înseamnă că te aliniezi și ești de acord cu furia, ceea ce reactivează implantul. Trebuie să stai acolo, să-ți cobori barierele şi să permiţi energiei să treacă prin tine. Când faci acest lucru, persoana respectivă îşi pierde energia într-o clipă! În final va râde de acea situaţie pentru că se va simţi ridicol.

Participant: Mulţumesc foarte mult.

Gary: Cu mare plăcere. Dain, hai să mai rulăm procesul încă o dată.

Dain:

> Ce actualizare fizică a bolii autoabuzive, interiorizatoare, autoflagelatoare, automutilatoare, autoumilitoare a blamării, ruşinii, regretului şi vinii nu recunoşti ca fiind sursa eliminării lui *a fi* în favoarea greşelii de sine şi a nevoii de *a face*? Tot ce este acest lucru, de un dumnezeion de ori, vrei să distrugi şi să decreezi în totalitate, te rog? Right and wrong, good and bad, POD and POC, all 9, shorts, boys, POVADs and beyonds.

În ce priveşte nevoia de a face: cât de mult din ce faci este încercarea de a anula acest sentiment generalizat, această energie de blamare, ruşine, regret şi vină pe care le-ai perceput toată viaţa ta în tine şi în jurul tău, şi care ai crezut că te reprezentau?

Gary: Chiar şi dacă nu erau ale tale.

Dain: Tot ce este acest lucru, distrugi şi decreezi în totalitate, te rog? Right and wrong, good and bad, POD and POC, all 9, shorts, boys, POVADs and beyonds.

Participant: La finalul săptămânii trecute am închiriat o sală pentru clasă. Nişte copii au produs stricăciuni. Proprietarii sălii au spus că nu mai vor să-mi închirieze sala altă dată. Eu am recurs la vechea mea poziţie prestabilită de a avea o strângere în stomac, a mă simţi vinovată şi inconfortabilă şi de a vrea să ştiu cum să repar situaţia. Am recunoscut ce făceam şi am curăţat implanturile de distragere din jurul situaţiei. Am zis: „Uau, este multă potenţă pe care o blochez în corpul meu."

Gary: Stai puţin, o secundă. Este că o blochezi *în* corpul tău sau *în afara* corpului tău?

Participant: O blochez în afara corpului meu, în mod sigur. Dar blocarea în afara corpului o trăiesc în corpul meu. Mi-am dat seama că atunci când am fost dispusă să nu mă las pradă vinovăţiei, am putut să manipulez situaţia. Nu suna, neapărat, altfel – era tot: „Îmi pare extrem de rău. Ce pot face să mă revanşez pentru stricăciunea produsă?" şi toate chestiile astea, dar era o joacă şi o uşurinţă în toate astea. Nu am căzut în capcana greşelii de sine. A fost o experienţă foarte diferită. Iar corpul meu nu s-a mai contractat aşa cum se întâmpla în trecut.

Gary: Minunat. Interesant, tocmai ai răspuns la întrebarea pe care urma să o citesc.

Participant: Cum ai folosi în avantajul tău blamarea, ruşinea, regretul şi vina care îţi sunt atribuite?

Gary: Ai spune: „Îmi pare extrem de rău. Nu am ştiut că se va întâmpla aşa ceva. Ce pot să fac pentru a mă revanşa pentru stricăciunile pricinuite? Te rog, spune-mi! Sunt o persoană îngrozitoare şi voi face tot posibilul să mă revanşez faţă de tine!" Acesta este un exemplu pentru a folosi situaţia în avantajul tău pentru că majoritatea oamenilor ar recurge la blamare, ruşine, regret şi vinovăţie.

Când procedezi aşa, cealaltă persoană se va simţi vinovată. Va spune: „Oh, chiar este o persoană drăguţă" ceea ce reprezintă vinovăţia. Vor simţi regret: „Sunt mult prea dur cu ea." Vor trece de la a spune: „Eşti o persoană îngrozitoare şi nu-ţi vom mai permite să închiriezi locaţia aceasta vreodată" la: „Eşti o persoană drăguţă cu adevărat şi ştim că nu ai făcut-o intenţionat aşa că vom renunţa la punctul nostru de vedere."

Participant: Simt ca şi cum sunt conştientă că există o ieşire aşa că voi mai putea să închiriez această locaţie în viitor. Nu aş fi fost conştientă de această soluţie dacă m-aş fi complăcut în vină.

Gary: Exact. De aceea este imperativ să treceţi peste asta, oameni buni.

Dain: Nu ar fi existat o altă şansă dacă te-ai fi abandonat sentimentului de vinovăţie pentru că implantul tău de distragere s-ar fi mutat pe altceva cu care ei se aliniau și erau de acord sau la care se împotriveau și reacționau. Ai fi creat o situație de blocaj în care nici tu, nici ei nu erați liberi.

Ați fi fost blocați împreună prin alinierea și acordul, și prin împotrivirea și reacția voastră – precum doi poli ai unui magnet. Acesta este un exemplu cu privire la ce creează implanturile de distragere. Și, atunci când folosești instrumentele pe care ți le dăm în aceste *call*-uri, împreună cu procesele pentru corp, ești dintr-odată diferit. Toate lucrurile care te iritau nu mai sunt acolo. Încetezi să mai fii sub influența acestor diferite tipuri de polaritate.

Gary: Oriunde te aliniezi și ești de acord cu un punct de vedere sau te împotrivești și reacționezi la un punct de vedere, te blochezi singur. Dacă ai fi recurs la vină și ai fi spus: „Nu pot să cred că-mi faceți chestia asta" ei s-ar fi gândit la tine pentru totdeauna și tu te-ai fi gândit la ei pentru totdeauna. Ceea ce înseamnă: unde se duce energia ta? În trecut? În prezent? În viitor? Sau într-un univers inexistent? S-ar duce într-un univers inexistent.

Participant: Gary, poți vorbi mai pe larg despre a bloca asta în afara corpului meu?

Gary: Când ai acele reacții, reacțiile reprezintă conștientizarea senzorială pe care corpul tău încearcă să ți-o ofere cu privire la implanturile de distragere și modul în care acestea te afectează. Dacă nu te prinzi că îți blochezi potența în afara corpului tău, nu ai alegere și nu ai acțiune. Ai doar reacție care este ceea ce e prevăzut să creeze fiecare implant de distragere. Implanturile sunt menite să te plaseze în reacție totală și deloc în acțiune.

Participant: Vrei să zici că ne spune corpul când există ceva care se petrece în interiorul lui? Că ne sfătuiește sau ne îndeamnă: „Hei! Acest implant de distragere te afectează. Uită-te la el"?

Gary: Da.

Participant: Așadar, să fim atenți, corect?

Dain: Observi cât este de genial? Dacă rămâi doar cu acest lucru de la acest *call*, dacă pricepi cu adevărat că atunci când se întâmplă ceva, corpul îți va spune, observi că trebuie să fii un detectiv. Asta înveți în Access Consciousness punând întrebări precum: „Bun, ce este chestia asta care se petrece?"

Apoi poți spune: „Corpule, mulțumesc foarte mult că m-ai anunțat că am capul băgat într-o grămadă de rahat." Corpurile noastre ne spun mereu când se întâmplă ceva. Corpul tău spune: „Îți dau de știre legat de ce creezi ca viață a ta! Iar tu, prostănacule, ai cerut să schimbi acest lucru dar nu mă asculți niciodată. Iată-te pe tine, prostovane, încercând să te prefaci că ești conștient."

Vreau să vorbesc în numele corpului tău pentru o clipă. Te rog nu mai da vina pe corpul tău pentru ceea ce îți arată, ce împărtășește cu tine și ce îți spune cu privire la ce se întâmplă! Este ca și când corpul tău îți aduce un dar. Îți aduce un extraordinar dar al posibilităților iar tu te comporți ca și când ar fi o pisică ce îți aduce o pasăre moartă. Cum ar fi dacă ai putea începe să spui: Hei, corpule! Îți mulțumesc foarte mult pentru ce îmi spui"? Cum ar fi dacă ai putea întreba: „Ce instrumente pot folosi în această situație pentru a schimba asta și pentru a merge mai departe?"

Participant: Ce pot face pentru a scăpa de regretul disperat și enervant că în trecut am gestionat greșit banii și proprietățile?

Gary: Nu mai privi în trecut. Blamarea, rușinea, regretul și vina au rolul să te plaseze în poziția de a privi ca o greșeală tot ce ai făcut, așa că te conectezi înapoi la bucla greșelii de sine. Te reconectezi mereu la greșeala de sine și astfel ești mereu greșeala de sine.

Dain: Asta și toate sistemele de secvențiere trifoldică ce creează asta și tot restul care îl menține în loc, vrei să distrugi și să decreezi, te rog? Right and wrong, good and bad, POD and POC, all 9, shorts, boys, POVADs and beyonds.

Participant: Când am început să devin conștient de implanturile de distragere le-am văzut venind din afară, ca și cum societatea le-ar folosi împotriva noastră. De exemplu, atunci când vorbești despre sexualitate mulți oameni te fac să simți regret și vinovăție pentru că ai ales pe cineva de același sex.

În acest call se pare că toți vorbesc despre ceva dinăuntrul lor dar eu mă uit cum toată lumea activează butoane din afara noastră.

Gary: Implanturile de distragere au rolul de a apăsa butoane din afară pentru a te face să te interiorizezi și să te uiți înăuntrul tău la greșeala de sine.

Dain: Dacă nu ai avea aceste butoane care ar putea fi apăsate de dinăuntru, ele nu ar fi apăsate din afară.

Gary: Noi încercăm să eliminăm elementul declanșator. Access este o pavăză împotriva declanșatoarelor. Este siguranța trăgaciului pentru ca să nu apeși pe el.

Dain: Noi vrem să eliminăm toate punctele tale sensibile care spun: „apasă aici pentru a mă pune în inferioritate."

Gary: „Apasă aici pentru a mă determina să mă văd ca inadvertent." Hai să rulăm procesul încă o dată. Vom adăuga ceva la el.

Ce actualizare fizică a bolii autoabuzive, interiorizatoare, autoflagelatoare, automutilatoare, autoumilitoare a blamării, rușinii, regretului și vinii nu recunoști ca sursa pentru eliminarea lui *a fi,* banda Mobius a greșelii de sine și a nevoii de *a face*? Tot ce este acest lucru, de un dumnezeilion de ori, vrei să distrugi și să decreezi în totalitate, te rog? Right and wrong, good and bad, POD and POC, all 9, shorts, boys, POVADs and beyonds.

Participant: Adesea mă simt vinovat că nu fac ce se presupune că trebuie să fac. Și asta este tot implant de distragere? Este acel „a face" despre care vorbeai mai devreme?

Gary: Da. Dacă te concentrezi mereu pe ce nu faci, trebuie să simți că, într-un fel, greșești că nu *faci* tot timpul. Te concentrezi pe *a face*; nu-ți dai voie să fii ceea ce ar schimba situația.

Dain: De asemenea, te concentrezi pe trecutul lui *a-nu-face*. Te concentrezi pe trecut în loc să fii prezent și să mergi înainte.

Participant: Resimt un regret pentru faptul că nu am fost conștient de instrumentele Access Consciousness când copiii mei au fost mici. De la ce anume mă distrag?

Gary: În primul rând te distragi de la faptul că tu ești o ființă infinită care poate schimba totul, inclusiv trecutul. Începe cu asta: „Tot ce am fost pentru copiii mei ieri, acum distrug și decreez în totalitate." Dacă faci asta zilnic, copiii tăi vor uita toate lucrurile pe care le-ai făcut și nu ar fi trebuit să le faci.

Dain:

> Ce actualizare fizică a bolii autoabuzive, interiorizatoare, autoflagelatoare, automutilatoare, autoumilitoare a blamării, rușinii, regretului și vinii nu recunoști ca sursa pentru eliminarea lui *a fi*, banda Mobius a greșelii de sine și a nevoii de *a face*? Tot ce este acest lucru, de un dumnezeion de ori, vrei să distrugi și să decreezi în totalitate, te rog? Right and wrong, good and bad, POD and POC, all 9, shorts, boys, POVADs and beyonds.

Participant: Poți vorbi te rog despre cum, atunci când subscriem la un implant de distragere, ne aflăm în toate celelalte? Este ca și când crezi într-un implant de distragere și asta permite celorlalte 23 de implanturi să se reactiveze? Cum funcționează asta și cum putem schimba acest lucru?

Gary: Dacă te aliniezi și ești de acord cu punctul tău de vedere cu privire la potența ta sau la ființa ta sau cu privire la orice altceva, punctul tău cel mai sensibil este cel care a fost folosit ca sursa primară pentru implantarea acestor implanturi de distragere. Este ca și când toate există din cauza punctului aceluia specific astfel că trebuie să fii dispus să recunoști că există o posibilitate diferită.

Participant: Ce vrei să spui cu: „cel care a fost folosit ca sursă primară"?

Gary: Să spunem că potența este acel lucru cu care te-ai aliniat și ai fost de acord: cât de puternic ești.

Participant: Da.

Gary: Deci, lucrul pe care îl cauți este propria potență. Asta înseamnă că furia, turbarea, mânia și ura au fost cel mai ușor de aplicat pentru că potența ta a rezultat din furie – diferența fină dintre furie și potență. Așadar, asta a fost cea pe care ei au putut-o folosi ca să instaleze restul implanturilor de distragere.

Participant: Uau! Deci cum te concentrezi pe furie? M-aș concentra pe furie. Ce aș...

Gary: Nu, nu, nu. Tu încerci să găsești problema și să rezolvi problema. Nu încerca să rezolvi problema. Încearcă să fii creatorul.

Participant: Cum ar arăta acest lucru?

Gary: „Ce aș putea crea dincolo de asta, la care nimeni nici nu s-a gândit?"

Dain: Și: „Ce actualizare fizică a realității care nu a existat niciodată sunt acum capabil să generez, să creez și să institui?"

Participant: Mulțumesc foarte mult.

Participant: Ai spus: „să generez, să creez și să institui". Pentru mine a fost „să generez, să creez și să actualizez". Care este diferența dintre a institui și a actualiza în acest caz?

Gary: Când generezi și creezi, începi actualizarea. Dacă începi actualizarea când o institui în fiecare zi și contribui platformei, îți oferă un imbold mai grozav de la care să creezi și mai mult.

Dacă generezi și creezi, începi să actualizezi; începi să aduci în existență ceea ce ceri. Apoi, trebuie să institui. Trebuie să faci ceva care să amplifice acel lucru în fiecare zi. Asta este partea cu instituirea.

Participant: Așadar, generarea și crearea sunt o actualizare?

Gary: Sunt începutul actualizării. Trebuie să o institui în fiecare zi. Asta o plasează în totalitate într-o realitate fizică.

Participant: Am mereu punctul de vedere că vina are legătură cu ceea ce faci dar rușinea are legătură cu cine ești. Poți vorbi despre asta?

Gary: Nu are importanță cum o definești. Rușinea este despre ceea ce *faci*. Rușinea este ideea că ai făcut ceva rău, și nu ar trebui să faci acest lucru, și motivul pentru care te judeci ca fiind o persoană atât de rea. Ai putea defini asta ca cine ești tu dar nu este, de fapt, cine ești tu. Este ce ai făcut și de care nu ești mândru.

La un moment dat am făcut regresii în vieți trecute în care am descoperit că am fost asasin plătit și omoram oameni pentru bani. Și apoi a existat un moment în acea viață în care am spus: „Nu mai fac niciodată acest lucru. Pur și simplu nu funcționează!"

Nu a fost rușine, blamare, regret sau vinovăție. A fost pur și simplu: „Nu mai fac asta niciodată". Noțiunea de a ucide nu îmi este străină și nici nu este ceva căruia să mă împotrivesc. Aș ucide pe cineva dacă acest lucru ar funcționa dar detest să curăț mizeria după aceea.

Participant: Să spunem că într-o viață trecută am fost călugăriță. Nu ar fi asta ceva ce ești în loc de ceva ce faci?

Gary: Nu. Este ce ai făcut în acea viață pentru a demonstra că ești o persoană religioasă și corectă.

Participant: În regulă, am priceput. Rușinea a funcționat foarte profund pentru mine și mereu m-am descris ca având-o ca esența mea. Este asta implantul sau este ceva...

Gary: Acesta este implantul. Caută chiar acum ceva ce ai făcut de care ești mândru. Simte energia acelui lucru și apoi simte energia rușinii din centrul tău. Ambele au o vibrație similară fapt ce a permis să fii implantat cu rușine – pentru că mândria ta este cealaltă fațetă.

Participant: Cu alte cuvinte folosesc mândria pentru a combate rușinea?

Gary: Da. Ai încercat să fii mândru de ceea ce faci și de ceea ce ești în loc să întrebi: „Ce altceva pot face pe care nici măcar nu l-am luat în calcul încă?"

Dain: Care deschide opțiuni altele decât a fi mândru sau a încerca să dizolvi rușinea. Întreabă: „Ce actualizare fizică a unei realități care nu a existat niciodată sunt acum capabil să generez, să creez și să institui?"

Sugerez cu căldură să pui asta în buclă și să o rulezi continuu, tot anul viitor sau așa ceva. Eu am folosit-o tot timpul și schimbă lucruri de fiecare dată când o rulez pentru că fiecare clipă este o șansă de a actualiza fizic o realitate care nu a mai existat vreodată. Și asta este ce începe să se deschidă!

Implanturile de distragere te fac să crezi că ai una din două alegeri. O alegere sau alta, o alegere sau alta – iar asta nu e adevărat pentru tine ca ființă. Este ce ai permis să fie adevărat prin alinierea și acordul cu aceste lucruri de nenumărate ori.

Gary: Hai să rulăm încă o dată acest proces.

Dain:

> Ce actualizare fizică a bolii autoabuzive, interiorizatoare, autoflagelatoare, automutilatoare, autoumilitoare a blamării, rușinii, regretului și vinii nu recunoști ca sursa pentru eliminarea lui *a fi*, banda Mobius a greșelii de sine și a nevoii de *a face*? Tot ce este acest lucru, de un dumnezelion de ori, distrugi și decreezi în totalitate, te rog? Right and wrong, good and bad, POD and POC, all 9, shorts, boys, POVADs and beyonds.

Participant: În familia mea, tata recurgea la furie și mama la vină și rușine (și încă mai face asta). Eu, fiind copilul rebel și conștient, am făcut din vină și rușinea de mine o situație atroce. A-i face POC și POD nu funcționează. Mi-e rușine de mine, de cine sunt.

Gary: În primul rând, îți este cu adevărat rușine de tine? Sau ești mândru de faptul că ai rămas în viață în urma a doi idioți? Poate vreți să vă uitați cu toții la aspectul de a fi supraviețuit idioților pe care îi numiți părinții voștri. Vă rog să știți că ați apelat la rușine și vinovăție. Ați apelat la furie. Ați apelat la aceste lucruri ca și când ele sunt o cale de a ajunge la un sentiment de mândrie de sine. Nu. Este despre *a fi* tu, nu *a face*.

Ați supraviețuit oamenilor care au recurs la blamare, rușine, regret și vinovăție. Ați supraviețuit tuturor acestora. Nu numai că ați supraviețuit dar ați și trecut în partea cealaltă: sunteți capabili să priviți lucrurile într-un mod diferit și să recunoașteți: „Nu trebuie să fiu niciunul din aceste lucruri." Ei au făcut orice a fost necesar pentru a vă aduce în situația de a face ce au crezut ei că ar trebui să faceți ca să fiți mai buni decât ei. Asta este tot.

Tot ce este acest lucru, de un dumnezelion de ori, vreți să distrugeți și să decreați, vă rog? Right and wrong, good and bad, POD and POC, all 9, shorts, boys, POVADs and beyonds.

Dain: Unii dintre voi ați avut doar doi idioți de acest fel, norocoșilor! Eu am avut numeroși idioți și am avut-o și pe mama care mă iubește la culme.

La un moment dat, priveam situația mea cu tata și mama vitregă, ambii fiind humani de primă clasă care mi-au făcut tot felul de lucruri ciudate. Am observat că mă împotriveam la tot ce aș fi putut face care mi-ar fi creat viața și traiul. Nu puteam fi productiv, nu puteam fi creativ și generativ.

Gary mi-a spus: „Trebuie să îți schimbi perspectiva". A întrebat:

- Ce dar ai primit fiind aici?

- Ce măreție ai, pe care nu ai fi avut-o altfel?

- Ce punct de vedere diferit ai despre lume, pe care nu l-ai fi avut?

- Și, ca rezultat al faptului că ai trăit cu ei, ce înțelegi despre oameni și limitările lor și poți facilita ca alte persoane să nu aibă?

Poate vrei să pui aceste întrebări cu privire la trecutul tău, la copilăria ta și la oamenii cu care ai fost. Nu ai fi fost împreună cu oamenii aceia doar pentru a perpetua limitare. Ai făcut-o în această viață ca să fii un facilitator al schimbării. Câți dintre voi știți că sunteți aici pentru a contribui la schimbarea lumii?

Participanții: Categoric!

Dain: De aceea ați făcut-o.

Gary: De aceea i-ai avut pe acei oameni în viața ta. De aceea acei oameni au făcut ce au făcut.

Dain: Este ceva ce ai câștigat din asta. Te rog să începi să întrebi:

- Ce am câștigat din asta?

- Pentru ce mă aflu aici?

Îți va schimba perspectiva despre realitatea ta dacă ești dispus să-ți dai seama că ai făcut acest lucru pentru a schimba lumea.

Gary: A fost ceva de care ai vrut să fii conștient pe deplin, în sensul cognitiv, pentru a-i ajuta pe ceilalți care funcționau din același loc.

Dain: Și, grație a ceva ce ai și ești, și grație a ceva ce ei au și sunt, tu ai știut că punând acele două lucruri alături ar fi creat un anumit rezultat pe care tu voiai să-l creezi. Asta trebuie să cauți.

Participant: Dain, vorbești nu numai despre părinți ci și despre situațiile abuzive în care m-am pus singur?

Dain: Da.

Participant: Mulțumesc.

Gary: Te pui în acele situații abuzive întrucât crezi că trebuie să ai blamare, rușine, regret și vină. Asta este condiționat în tine de la bun început. Crezi că trebuie să te aliniezi și să fii de acord și să fii în sincronicitate cu toți ceilalți. Că trebuie să ții pasul tot timpul. Și niciunul dintre voi nu sunteți buni la a merge în același ritm cu alții. Nu ați face-o pentru nimic în lume.

Participant: Am un defect fizic pe care, copil fiind, l-am ascuns. A trebuit să port haine speciale și acum la fel. Când eram copil, lumea comenta pe această temă și acum la fel. Fac doar POC și POD până când nu mai are niciun efect? Doar atât?

Gary: Nu, este mai mult despre a recurge la „punct de vedere interesant" și „Ce am creat cu acest aspect ce nu recunosc că îmi dă o putere și o potență pe care nu le revendic?" Tu nu priveşti niciodată din punctul acesta. Te uiţi din locul în care trebuie să fie ceva greşit pentru că nu eşti în pas cu toţi ceilalţi. Este precum: „Bun, şi ce dacă?"

Eu nu am avut un defect fizic, am fost deformat mental. Nimeni nu putea vedea defectul meu dar toată lumea îl putea auzi atunci când deschideam gura.

Participant: Gary, cuvântul „defect" nu este în sine o judecată?

Gary: Da, este.

Participant: Dar sunt lucruri care nu se înscriu în norme şi pe care oamenii le judecă a fi „defecte".

Gary: Da, înţeleg. Acesta e motivul pentru care spun că eu am avut un defect în punctul meu de vedere mental. Nu mă aflam în universul comun. Nu mă integram. Nu mergeam în acelaşi ritm cu toţi ceilalţi şi nici tu nu o faci. Aşadar, ce anume ai câştigat din asta, ce nu ai recunoscut? Există ceva ce ai câştigat.

Mulţi oameni vor să se simtă vinovaţi şi copleşiţi de vină pentru că ei nu au un defect fizic ca tine pe când tu ai. Ei cred că ar trebui să facă lucruri pentru tine. De ce nu foloseşti asta în avantajul tău? Poţi întreba: „Cum îi pot folosi pe aceşti oameni?" Poţi spune: „Hei, îmi puteţi da bani pentru că am un defect fizic!" Sunt o sumedenie de lucruri pe care le poţi face cu asta.

Odată, a venit să mă vadă un tip care era în scaun cu rotile iar eu m-am simţit îngrozitor pentru faptul că el era în scaun cu rotile şi eu nu eram. L-am întrebat: „Te pot ajuta?"

Mi-a răspuns: „Nu, pot avea grijă de mine." Acesta era un punct de vedere diferit iar eu trebuia să privesc dintr-un loc diferit.

Urma să mergem la prânz. El a ieşit folosind treptele din spatele casei, în scaunul lui cu rotile. Erau nişte trepte foarte abrupte pe care aproape că am căzut coborându-le. El le-a coborât cu viteza luminii, cu scaunul lui cu rotile parţial ridicat în aer, a ajuns jos şi a plecat în viteză.

Mi-a spus: „Prinde-mă dacă poți!"

I-am răspuns: „Nu-i corect! Tu ai roți. Te deplasezi mai repede decât mine!"

Am înțeles că nu-și privea starea ca pe un defect. Își vedea starea ca o unicitate și îi oferea situații în care o putea folosi în avantajul său. Trebuie să te uiți la situațiile în care poți folosi „defectul" tău. E posibil ca „defectul" tău să fie rasa, culoarea sau credința. Sau poate fi parte din blamarea, rușinea, regretul și vinovăția ta. Poate fi un defect mental sau fizic. Cu toate acestea, trebuie să întrebi: „Cum folosesc asta pentru a crea ceva mai măreț?" Și poți folosi implanturile de distragere pentru a-i face pe oameni să facă totul pentru tine.

Participant: Am o întrebare despre cum să tratăm oamenii care trec ca somnambulii prin viață. Nu sunt dispus să validez realitatea nimănui atunci când este o minciună.

Gary: Dacă nu ești dispus să validezi realitatea cuiva atunci ești răutăcios.

Participant: Și care este sugestia ta?

Gary: Recunoaște-le realitatea ca fiind realitatea lor. Este un punct de vedere interesant. Tu nu ai vrea să trăiești așa dar este alegerea lor. Când nu vrei să validezi realitatea cuiva este ca și când ai ridica pumnii și ai spune: „Luptă, nemernicule!"

Participant: Cum porți o conversație cu cineva care este ancorat în trauma și drama lui? Ce spui?

Gary: Spui: „Dacă aș avea viața ta probabil că m-aș sinucide."

Participant: Poți da alte exemple, te rog?

Gary: Spui: „Dacă ar trebui să mă confrunt cu ceea ce te confrunți tu cred că aș înnebuni. Cum reușești? Trebuie că îți este foarte greu." Sau poți spune: „Oh, ohhhh, oooohhhh! Dumnezeule! Ooooh!"

Dacă nu validezi realitatea oamenilor așa cum este pentru ei, nu o pot schimba. Nu te aliniezi și ești de acord, și nici nu te împotrivești și reacţionezi. Doar îi dai voie să fie ce este şi spui: „Uau." Dacă te împotriveşti şi reacţionezi pentru că nu vrei să le validezi realitatea, ceea ce faci este o răutate. Îi blochează şi mai mult în realitatea lor. Nu le permite să ajungă în locul din care o pot schimba.

Participant: Mulţumesc.

Participant: Luna trecută am făcut ordine în documentele financiare ale tatălui meu şi ale mele. Nu sunt sigură dacă sufeream sau dacă regretam că nu am ajuns să-l cunosc mai bine. În timp ce treceam prin actele şi agendele mele, am mers într-un punct în care m-am validat pe mine şi spaţiul din care funcţionam. Şi apoi am început să mă jelesc pentru că până la ora aceea nu avusesem o conştientizare despre cum am funcţionat toată viaţa mea. Nu ştiu dacă asta e durere sau regret.

Gary: Este doar nebunie.

Participant: (râzând) Fac asta foarte bine.

Gary: Când spui: „Am funcţionat aşa toată viaţa mea" este asta o întrebare? Este asta o întrebare? Sau este o concluzie?

Participant: Eu cred că a fost o conştientizare a modului în care m-am schimbat şi unde sunt acum comparativ cu unde eram.

Gary: Bun, deci trebuie să recunoşti: „Uau! Ăsta a fost un loc interesant în care să trăiesc." Şi apoi întrebi: „Ce aleg azi?" Întreabă asta pentru a recurge la întrebare.

Dacă te duci în jale, plângi după viaţa pe care ai pierdut-o, care crezi oarecum că a avut ceva valoare pentru tine. Vrei *să oferi recunoaştere* acelei vieţi, nu să o *validezi*. A o valida înseamnă că trebuie să o faci să fie corectă într-un fel. Uită-te la toate astea şi întreabă: „A fost asta amuzant? Ce părţi din ea au fost amuzante?" Recunoaşte ce a fost amuzant, recunoaşte ce a fost bun şi apoi mergi mai departe.

Vorbeam azi cu Dain despre nunta mea din anii '80. I-am spus ce am purtat la recepţia dinaintea nunţii. Dain a zis: „Uau! Îţi aminteşti asta cu atât de multe detalii! Asta din cauză că a fost o experienţă atât de oribilă?"

Am răspuns: „Nu, a fost distractiv."

Realitatea este că au existat multe momente amuzante în căsnicia mea. Au fost multe lucruri care mi-au plăcut și pe care le-am iubit în legătură cu ea. Aș putea trăi cu femeia aia? Nu. Dar nu o urăsc și nu o văd ca pe o problemă, și nici nu văd ceea ce am avut împreună ca fiind ceva îngrozitor. Le văd ca pe ceva ce a fost. A avut părți grozave și părți îngrozitoare. Nimic nu este niciodată doar alb sau negru.

Asta este un alt aspect legat de implanturile de distragere: toate sunt menite să ne plaseze în *corect* și *greșit* în raport cu totul, în albul și negrul a toate cele.

Dain: Corectitudinea greșelii care suntem, și a tot ce alegem, și a tot ce facem.

Participant: Care ar fi genul de întrebare la care să apelez atunci când sunt în acel spațiu?

Gary: Ei bine, tocmai i-ai oferit recunoaștere. Tocmai ai spus-o: „Am fost în acel spațiu." Ai fost în spațiul prezentului? Sau ai fost în spațiul trecutului?

Participant: Am fost cu siguranță în trecut.

Gary: Dacă te uiți la trecut pentru validarea vieții tale, vei crea același trecut ca viitor al tău. Nu va funcționa! Aici trebuie să te clarifici și să schimbi lucruri.

Dain: Întreabă:

Ce actualizare fizică a realității care nu a existat vreodată cu privire la această situație, sau cu privire la tatăl meu, sau cu privire la familia mea (sau cu privire la orice altceva dorești să pui aici) sunt acum capabilă să generez, să creez și să instituţi? Tot ce nu permite ca acest lucru să apară, de un dumnezelion de ori, vrei să distrugi și să decreezi, te rog? Right and wrong, good and bad, POD and POC, all 9, shorts, boys, POVADs and beyonds.

Asta va începe să-ţi ofere opţiuni. În plus, te rog să reasculţi acest *call* de multe ori.

Participant: După ultimul call am avut nişte energie reziduală legată de furie. Am crezut că te-am auzit spunând că furia este ataşată de bucurie.

Gary: Nu, am spus că furia ascunde bucuria. Am spus că dedesubtul furiei se află bucuria pe care ai putea-o avea, căreia nu îi dai voie să apară în viaţa ta, motivul pentru care bucuria lipseşte din această realitate. Furia are rolul să o ascundă. Nu poţi elibera bucuria. Poţi îmbrăţişa bucuria şi elibera furia. Furia ascunde bucuria.

Participant: Am probleme cu corpul meu care nu se simte bine. Simt ca şi cum ar avea legătură cu acest aspect.

Gary:

> Câtă blamare, ruşine, regret şi vinovăţie ai blocat în corpul tău pentru a-l face să se simtă ca naiba? Tot ce este acest lucru, de un dumnezelion de ori, vrei să distrugi şi să decreezi în totalitate? Right and wrong, good and bad, POD and POC, all 9, shorts, boys, POVADs and beyonds.

> Şi câtă conştientizare încearcă corpul tău să-ţi dea cu privire la ce te îmbolnăveşte – iar tu continui să faci blamarea, ruşinea, regretul şi vinovăţia mai reale decât conştientizarea? Corp minunat. Tot ce este acest lucru, de un dumnezelion de ori, vrei să distrugi şi să decreezi în totalitate? Right and wrong, good and bad, POD and POC, all 9, shorts, boys, POVADs and beyonds.

Participant: Gary, cum pot să contribui cel mai bine unei prietene care se duce la tribunal mâine?

Gary: Du-te şi spune în gând „adevăr" înaintea fiecărei întrebări puse tuturor martorilor aduşi împotriva sa.

Dain: Foloseşte-ţi magia astfel încât judecătorul să vadă ce se petrece cu adevărat, cu privire la care partea adversă a minţit până acum.

Participant: Gary şi Dain, vreau să vă spun un mare mulţumesc.

Gary: Mulţumim tuturor pentru că aţi fost aici. Sper că aţi învăţat câte ceva şi sper că aceste lucruri vă vor ajuta în mod dinamic.

Capitolul trei

Puncte de vedere care creează dependență, compulsive, obsesive și pervertite

Gary: Bună tuturor! Bun venit la cel de al treilea *call* despre implanturile de distragere. Astăzi vom vorbi despre punctele de vedere care creează dependență, compulsive, obsesive și pervertite.

Dependența conține ideea că nu poți schimba. *Compulsiv* reprezintă necesitatea de a o face. *Obsesiv* este acolo unde trebuie să te gândești la acel lucru și să-l descifrezi ca să știi cum să-l faci. Este acolo unde trebuie să-l descifrezi pentru ca să fie corect, ca să încerci să nu faci ce este greșit și care te obsedează. Apoi, sunt *punctele de vedere pervertite*. În această realitate, pervertirea supremă este de a fi un humanoid care nu vede lumea în același fel în care o văd alți oameni. Acesta este punctul de vedere fundamental și pervertit.

Ceea ce este de bază în punctul de vedere pervertit este a vedea viața cu un sentiment de bucurie, nu cu un sentiment de judecată. Tot ce nu ești dispus să percepi, să știi, să fii și să primești în legătură cu acest lucru, vrei să distrugi și să decreezi în totalitate? Right and wrong, good and bad, POD and POC, all 9, shorts, boys, POVADs and beyonds.

Necesitate

Cea mai importantă parte în toate acestea este că există un aspect numit *necesitate*. Și de câte ori există o necesitate de a face, sau de a fi, sau de a realiza ceva, treci în implantul de distragere al realităților care creează dependență, compulsive și obsesive.

Dain: Când definești ceva ca necesitate, crezi că nu ai alegerea de a nu face acel lucru – pentru că este o necesitate. Sau, dacă există necesitatea de a nu-l face, atunci nu ai alegerea de a-l face. Nu recunoști că tu ești cel care alege. Recurgi la puncte de vedere care creează dependență, obsesive și compulsive, ceea ce aduce la suprafață și resentimentul, furia, turbarea, mânia și ura. Acest lucru care ai decis că este o necesitate, pe care crezi că nu l-ai ales, pe care trebuie să-l alegi pentru că este așa o necesitate, activează aceste implanturi de distragere.

Gary:

> Câte necesități ai care creează ceea ce ai numi dependența vieții tale? Tot ce este acest lucru, vrei să distrugi și să decreezi în totalitate? Right and wrong, good and bad, POD and POC, all 9, shorts, boys, POVADs and beyonds.

> Și câte necesități ai care creează părțile compulsive ale vieții tale? Vrei să le distrugi și să le decreezi pe toate acestea? Right and wrong, good and bad, POD and POC, all 9, shorts, boys, POVADs and beyonds.

> Câte necesități ai care te fac obsesiv? Principala necesitate este despre a fi obsesiv. Trebuie să fac acest lucru, nu am de ales, trebuie să-l fac! Tot ce este acest lucru, de un dumnezelion de ori, vrei să distrugi și să decreezi în totalitate? Right and wrong, good and bad, POD and POC, all 9, shorts, boys, POVADs and beyonds.

Participant: Am rulat multe procese pentru corp de la ultimul call până acum și corpul meu are nevoie de mai puțin somn. Dar mă lupt cu puncte de vedere fixe că ar trebui să dorm mai mult. Poți vorbi despre situația în care ceva este o necesitate într-un fel sau altul și apoi se schimbă din ce a fost în altceva?

Gary: Punctul nostru de vedere este cel care creează o necesitate. De fapt, nimic nu este o necesitate. Totul este o alegere. Dar funcționăm, cât de des putem, ca și când nu există nicio alegere.

Am învăţat cu timpul să facem acest lucru. De exemplu, ţi se spune că este o necesitate să mănânci trei mese copioase*[6] pe zi. Ce înseamnă o masă copioasă? Înseamnă biscuiţi din grâu mărunţit? Un măr care nu a fost tăiat corect? Ce înseamnă o masă bună? Serios! Este pur şi simplu o nebunie modul în care facem asta.

Dain: Este ca un Big Mac – vine într-o cutie pătrată!

Gary: Trebuie să mănânci o masă copioasă! Acestea sunt toate locurile în care acceptăm necesitatea, „cumpărând" punctele de vedere ale altcuiva, în loc să fim conştienţi. Chiar acum, punctele tale de vedere care creează dependenţă, compulsive şi obsesive sunt în primul rând despre greşeala de sine. Ele sunt toate modurile în care te convingi că greşeşti, toate modurile în care vezi că musai greşeşti.

Câte necesităţi de a greşi foloseşti pentru a crea acest constant punct de vedere care creează dependenţă, compulsiv şi obsesiv cu privire la greşeala de sine? Tot ce este acest lucru, vrei să distrugi şi să decreezi în totalitate? Right and wrong, good and bad, POD and POC, all 9, shorts, boys, POVADs and beyonds.

Participant: Mi-ai „prăjit" creierul cu cuvintele „a crea dependenţă". Am punctul de vedere că dependenţa înseamnă „a avea nevoie de atenţie" sau „a fi în starea de a avea nevoie". Ce ai spus că înseamnă „dependenţă"?

Gary: Ceva care creează dependenţa este acolo unde crezi că nu ai altă alegere decât să faci un anumit lucru. Cineva care consumă alcool la un nivel la care creează dependenţă crede că nu are nicio alegere reală. Crede că există o singură alegere pe care o poate face: aceea de a bea. Nu vede nicio altă posibilitate.

Mulţi oameni sunt dependenţi de judecată şi cred că este o necesitate să judeci. Judecata lor le demonstrează cine sunt. Acestea sunt toate felurile în care te uiţi la această lume din dependenţa de greşeală, de judecată, de rău şi toate celelalte.

---

[6] N.t. joc de cuvinte generat în limba engleză de cuvântul folosit pentru *copios* care este *square* adică pătrat.

PERVERTIREA SUPREMĂ ESTE CONŞTIENTIZAREA

Când te uiţi cu adevărat la acest aspect, constaţi că pervertirea supremă este conştientizarea. Îţi dai seama că toate implanturile de distragere te pregătesc pentru a te ţine la distanţă de conştientizare. Suprema pervertire a acestei realităţi este de a funcţiona din conştiinţă totală. Această realitate, în esenţa ei, este ceea ce am decis noi că ar trebui să fie; nu este ceea ce este de fapt.

Atunci când recurgi la puncte de vedere care creează dependenţă, compulsive şi obsesive, aperi o parte a acestei realităţi. Oriunde crezi că nu ai nicio alegere, acelea sunt locurile în care aperi această realitate aşa cum este ea.

Câte dintre punctele tale de vedere care creează dependenţă, compulsive şi obsesive se bazează pe nevoia ta de a apăra sau de a salva această realitate? Tot ce este acest lucru, de un dumnezelion de ori, vrei să distrugi şi să decreezi în totalitate? Right and wrong, good and bad, POD and POC, all 9, shorts, boys, POVADs and beyonds.

Participant: Exact acolo am mers şi eu! Am căutat să apăr sau să repar dependenţa. Nu-i aşa că e o nebunie?

Gary: Nu, este doar ceea ce este. Este modul în care se presupune că trebuie să faci lucrurile aici. Se presupune că este despre a apăra această realitate. Fiecare dintre implanturile de distragere are rolul să te îndepărteze de conştientizarea totală şi de *a fi* în totalitate şi să te ducă într-un loc în care vei elimina totul, mai puţin acele lucruri pe care această realitate ţi le-a livrat ca fiind adevărate, corecte şi reale.

Aşa că, hai să încercăm asta:

Ce actualizare fizică a bolii care creează dependenţă, compulsivă şi obsesivă de a apăra şi de a salva această realitate nu recunoşti ca fiind eliminarea şi eradicarea pervertirii conştiinţei totale? Tot ce este acest lucru, de un dumnezelion de ori, vrei să distrugi şi să decreezi în totalitate? Right and wrong, good and bad, POD and POC, all 9, shorts, boys, POVADs and beyonds.

Participant: Gary, poţi să explici ce este pervertirea conştiinţei totale? Cum arată asta?

Gary: Conştiinţa deplină este pervertirea acestei realităţi. În această realitate se presupune că nu trebuie să ai conştientizare astfel încât conştientizarea deplină este suprema pervertire. Este ceea ce nu trebuie să alegi niciodată.

Dain: Este unicitatea care nu trebuie să fii, care este un alt aspect a ceea ce este distorsionat aici. Unicitatea care nu trebuie să fii este presupusa greşeală care, dacă ai fi dispus să fii acest lucru, ar crea corectitudinea de sine din propriul tău punct de vedere. Non-judecata greşelii de sine în schimbul conştientizării pe care de fapt o ai.

Participant: Tocmai mi-ai prăjit creierul cu asta.

Gary: La ce se reduce este că, în această realitate, se presupune că trebuie să primeşti totul din punctul de vedere că este fie corect, fie greşit, bun sau rău, negru sau alb. Se presupune că nu trebuie să ai conştientizare cu privire la acele lucruri. Se presupune că trebuie să ajungi la concluzie, şi la judecată, şi la calcul. Acesta este modul în care se presupune că trebuie să trăieşti. Trebuie să trăieşti din judecarea tuturor lucrurilor.

Este foarte important să începi să pricepi cum funcţionează asta în loc să încerci să trăieşti din punctul de vedere că trebuie să fie altceva. Aşadar, să rulăm din nou:

Ce actualizare fizică a bolii care creează dependenţă, compulsivă şi obsesivă de a apăra şi de a salva această realitate nu recunoşti ca fiind eliminarea şi eradicarea pervertirii conştiinţei totale? Tot ce este acest lucru, de un dumnezelion de ori, vrei să distrugi şi să decreezi în totalitate? Right and wrong, good and bad, POD and POC, all 9, shorts, boys, POVADs and beyonds.

Participant: Deja ai vorbit despre aspectul legat de mâncare dar acesta este un aspect cu adevărat enervant în viaţa mea.

Gary: Priveşti mâncarea ca pe o necesitate? Există vreo necesitate de a mânca pentru corpul tău? Când există o necesitate de ceva anume, te alegi cu multă furie şi-ţi îndopi corpul cu acea furie.

Cât de mult din faptul că mănânci ca necesitate este acea furie? Tot ce este acest lucru, de un dumnezelion de ori, vrei să distrugi şi să decreezi în totalitate? Right and wrong, good and bad, POD and POC, all 9, shorts, boys, POVADs and beyonds.

Mulţi oameni recurg la necesitate cu privire la ceva anume şi apoi se înfurie legat de asta. Şi când fac astfel, adesea creează boală în corpurile lor. Alţii creează încetineală în minţile lor. Alţii creează o inabilitate de a funcţiona într-un domeniu sau altul. Alţii cred că totul e bine atât timp cât se întâmplă x, y şi z – şi nimic din toate acestea nu are de-a face cu conştientizarea. Să-l rulăm încă o dată, Dain.

Dain:

Ce actualizare fizică a bolii care creează dependenţă, compulsivă şi obsesivă de a apăra şi de a salva această realitate nu recunoşti ca fiind eliminarea şi eradicarea pervertirii conştiinţei totale? Tot ce este acest lucru, de un dumnezelion de ori, vrei să distrugi şi să decreezi în totalitate? Right and wrong, good and bad, POD and POC, all 9, shorts, boys, POVADs and beyonds.

Câţi dintre voi ştiţi că sunteţi dependenţi de a apăra şi a salva această realitate?

Gary: Cât de mult din obiceiul de a mânca înseamnă a apăra şi a salva această realitate? Corpul tău chiar are nevoie să mănânce? Sau şi acest lucru înseamnă apărarea acestei realităţi? Toţi îţi spun că trebuie să mănânci. „Trebuie să mănânci! Vei muri dacă nu mănânci!" Sunt toate chestiile astea. Ţi-ai întrebat vreodată corpul ce îşi doreşte cu adevărat să mănânce? În nouăzeci la sută din timp, corpul nu-şi doreşte să mănânce; mănâncă pentru că îl obligi să o facă.

Dain:

Și cât de mult din actul de a mânca este pentru a hrăni furia pe care ai blocat-o deja în corp, pentru a menține o anumită energie sau o anumită vibrație de care ai devenit dependent? Tot ce este acest lucru, de un dumnezelion de ori, vrei să distrugi și să decreezi, te rog? Right and wrong, good and bad, POD and POC, all 9, shorts, boys, POVADs and beyonds.

Gary: OK, să rulăm încă o dată.

Ce actualizare fizică a bolii care creează dependență, compulsivă și obsesivă de a apăra și de a salva această realitate nu recunoști ca fiind eliminarea și eradicarea pervertirii conștiinței totale? Tot ce este acest lucru, de un dumnezelion de ori, vrei să distrugi și să decreezi în totalitate? Right and wrong, good and bad, POD and POC, all 9, shorts, boys, POVADs and beyonds.

Participant: Mă consider pe mine însumi o pervertire?

Gary: Ești o pervertire dacă ai cât de cât o vagă conștientizare a conștiinței.

Participant: Da. E greșit. Asta este o judecată.

Gary: Se presupune că trebuie să judeci. Se presupune că trebuie să trăiești conform regulilor acestei realități. Problema este că nimeni nu-ți oferă regulile. Doar ți se spune că trebuie să trăiești conform regulilor.

Participant: E ca o roată, Gary. Dacă am o fracțiune de conștientizare recurg la pervertire care trece înapoi în judecată, ceea ce îmi elimină conștientizarea.

Gary: Stai, stai, stai! Despre ce vorbești?

Participant: Vorbesc despre a merge pe roata judecății.

Gary: Nu roata judecății este pervertirea. Conștiința este pervertirea.

Participant: În clipa în care mă consider o pervertire, judec acest lucru pentru că sunt de părere că pervertirea este o judecată.

Gary: Pervertirea nu este o judecată; pervertirea este conştientizare. Tu recurgi la judecată pentru a face ca alte implanturi de distragere să funcţioneze pentru tine, pentru a te menţine în apărarea acestei realităţi şi a acestui trai ca şi când există o necesitate de a trăi conform regulilor acestei realităţi.

Participant: Extraordinar. Eu am presupus că orice este o pervertire este o greşeală.

ADEVĂRATA PERVERTIRE A ACESTEI REALITĂŢI ESTE CONŞTIINŢA

Gary: Înţeleg asta. Dar aşa decurg lucrurile aici. Adevărata pervertire este conştiinţa. Este pervertirea acestei realităţi. În această realitate se presupune că nu trebuie să fii conştient. Dacă eşti dispus să trăieşti conform regulilor acestei realităţi şi să te supui lor, şi dacă eşti dispus să aperi această realitate şi să aperi necesitatea ca fiind adevăr, nu poţi funcţiona în conştiinţă şi nu ai cum să nu te judeci.

Participant: Mulţumesc, Gary.

Participant: Vorbeşti despre „ei", cei care fac implanturile. Cine sunt „ei" alţii decât părinţii noştri sau strămoşii?

Gary: Probabil s-a întâmplat acum patru trilioane de ani aşa că nu contează cine sunt „ei". Ce contează este că trebuie să te aliniezi şi să fii de acord cu asta, sau să i te împotriveşti şi să reacţionezi pentru ca acest lucru să se întâmple. Aşadar, în această măsură, suntem noi înşine răspunzători. Noi alegem să ne aliniem şi să fim de acord cu asta, sau să ne împotrivim şi să reacţionăm, ceea ce îi permite să se întâmple.

Dain: Aşa este cu toate. În loc să întrebi: „Ce este asta? De unde vine? Cine ne-a făcut asta?" trebuie să ajungi la punctul în care întrebi: „OK, ce aleg eu aici?"

Gary: Nu există niciun „de ce?" în conştientizare. Dacă întrebi „de ce?" eşti în afara conştientizării. În momentul când spui „de ce?" ai pierdut conştientizarea şi nu o vei mai recupera niciodată. Nu apela la „de ce?". Dacă o faci, vei aluneca în greşeala de sine şi vei bloca toate astea.

Dain: Iată ce poţi face care să te ajute în fiecare aspect din viaţa ta: de fiecare dată când începi să spui „oh, s-a întâmplat acest lucru", opreşte-te. Fă POC şi POD şi întreabă: „Ce pot crea?" Cu alte cuvinte, în loc de „s-a întâmplat acest lucru", foloseşte „am creat acest lucru". Dacă elimini „s-a întâmplat acest lucru" şi foloseşti „am creat acest lucru", vei începe să-ţi dai seama foarte repede: „Uau. Eu creez tot ce apare! Într-un fel, contribui într-o oarecare măsură la acest lucru!"

Asta îţi oferă un loc diferit de a fi. Este locul în care începi să fii mai mult din pervertirea care este conştiinţa, care este conştientizarea că, într-adevăr, creezi realitatea. Nu ţi se întâmplă.

Participant: În ultima săptămână sau aşa ceva, am remarcat că mă distrez foarte mult. M-am bucurat de jobul meu şi de celelalte lucruri pe care le fac. Afacerea mea cu masaj a luat avânt şi simt mai multă prosperitate. Am avut ideea că ar trebui să creez un cor. Energia era formidabilă. În ziua respectivă, stăteam de vorbă cu cineva şi, de îndată ce am pomenit de cor, conversaţia a derapat. Persoana respectivă a spus: „Uau, este acesta un punct de vedere pervertit?" ca şi cum ceva ce îţi aduce multă bucurie e pervertit. A fost aşa o ciudăţenie!

Gary: Bucuria, fericirea şi conştientizarea sunt o pervertire a acestei realităţi.

Dain: Abundenţa, uşurinţa, pacea, posibilitatea, lipsa judecăţii şi a nu avea o problemă sunt toate pervertiri ale acestei realităţi. Vin la tine din conştientizare şi conştiinţă. Conştiinţa este felul în care ai şi eşti toate aceste lucruri. Este felul în care le poţi alege.

Gary: Contorsionarea este ceea ce trebuie să faci pentru a greşi, pentru a putea recurge la acele puncte de vedere care creează dependenţă, compulsive şi obsesive. Este de a te asigura că îţi faci apariţia în mod continuu ca mai puţin decât eşti. Să rulăm încă o dată:

Ce actualizare fizică a bolii care creează dependență, compulsivă și obsesivă de a apăra și de a salva această realitate nu recunoști ca fiind eliminarea și eradicarea pervertirii conștiinței totale? Tot ce este acest lucru, de un dumnezeion de ori, vrei să distrugi și să decreezi în totalitate? Right and wrong, good and bad, POD and POC, all 9, shorts, boys, POVADs and beyonds.

Participant: Cred că, pentru mine, punctele de vedere care creează dependență, compulsive și obsesive sunt în principal cu relația, și oscilez între asta și pervertire.

Gary: Voi vă uitați la aspecte singulare și spuneți chestii precum: „În această privință lucrurile stau așa." Dar nu este ceea ce este. O faceți în toate aspectele vieții voastre. De exemplu, de câte ori vă judecați într-o zi? Este asta compulsiv, obsesiv și creează dependență? Da, fără încetare!

Așadar, nu este doar în relații. Este doar mai evident în relații pentru că cealaltă persoană caută cu disperare să te iubească și, pentru a te asigura că nu o va face, tu trebuie să găsești - obsesiv, compulsiv și continuu – ceva în neregulă cu persoana respectivă sau cu tine. Nu-i grozav? Și cu toții știm că este o necesitate să ai o relație, corect?

Tot ce este acest lucru, de un dumnezeion de ori, vrei să distrugi și să decreezi, te rog? Right and wrong, good and bad, POD and POC, all 9, shorts, boys, POVADs and beyonds.

NECESITATE SAU ALEGERE

Trebuie să mergi prin viață întrebând: „Fac acest lucru din necesitate sau din alegere?" Odată ce îți e clar dacă faci din necesitate sau alegere, vei schimba toate acele aspecte în mod dinamic.

Participant: Atunci când facilitez oameni îmi este clar că există lucruri obsesive și compulsive despre care nu se vorbește niciodată. De exemplu: majoritatea oamenilor nu admit că se curăță de scame imaginare de pe corp sau că încuie ușa casei în mod obsesiv de multe ori sau că fac alte lucruri cu aspect tipic de comportament obsesiv-compulsiv.

Gary: Ei nu bagă de seamă.

Participant: Nu bagă de seamă. Exact așa e. Ce ai putea adăuga pentru a le deschide conștientizarea? Sau poți – dacă ei pur și simplu nu vor?

Gary: Dacă nu vor, nu poți face nimic în legătură cu asta. Trebuie să aștepți până când cineva pune o întrebare. Dar trebuie să și pricepi că necesitatea de a nu vorbi niciodată despre lucruri, necesitatea de a păstra secrete, necesitatea de a menține lucrurile private și necesitatea de a tăinui lucrurile îi blochează înapoi în boala distragerii.

Tot ce este acest lucru, de un dumnezelion de ori, vrei să distrugi și să decreezi, te rog? Right and wrong, good and bad, POD and POC, all 9, shorts, boys, POVADs and beyonds.

Nu este vorba despre a transforma lipsa necesității, ne-necesitatea sau non-necesitatea în respingere. Aceea este o respingere a ceva anume, nu este în mod necesar o alegere. Respingerea nu este o alegere.

Câte necesități-lipsă, ne-necesități și non-necesități ai care te mențin în propria ta realitate care creează dependență, compulsivă și obsesivă? Tot ce este acest lucru, de un dumnezelion de ori, vrei să distrugi și să decreezi, te rog? Right and wrong, good and bad, POD and POC, all 9, shorts, boys, POVADs and beyonds.

Participant: Gary, aproape că se simte ca și când aceasta este structura care menține toate limitările în loc.

Gary: Nu *aproape,* ci așa este. Totul este un factor. Te rog să observi cum toți avem un punct în care realitatea noastră încetează. Este ca și când a fi implantul de distragere este mai real decât a avea propria realitate și a fi realmente activ.

Dain: Privește în jur. Câți oameni din lumea asta sunt prinși în capcana acestor implanturi de distragere? Și cât de mult prețuiesc ei, sau nu prețuiesc, conștiința?

Oamenii cred că dacă au ochii deschişi atunci sunt conştienţi – şi asta înseamnă că sunt chiar mult mai conştienţi decât vor să fie. Ei nu caută mai mult. Şi, atât de mult din ce a fost promovat ca şi conştiinţă pe planetă nu este conştiinţă. Este o minciună că ar fi conştiinţă; este o concluzie şi un răspuns. Se presupune că a fost ceva mai bun decât ce a fost înainte de asta.

Dacă îţi dai seama că a funcţiona din implanturi de distragere şi din punctele de vedere ale altor oameni se consideră a fi mai valoros în această realitate, începi să recunoşti unde un aspect al acestei chestii a fost predeterminat pentru tine ca necesitatea pentru realitatea pe care trebuie să o alegi. Este o pervertire dacă alegi orice altceva decât asta.

Participant: Poţi defini pervertirea, te rog?

Gary: Pervertirea înseamnă a nu crede această realitate.

Dain:

Ce actualizare fizică a bolii care creează dependenţă, compulsivă şi obsesivă de a apăra şi de a salva această realitate nu recunoşti ca fiind eliminarea şi eradicarea pervertirii conştiinţei totale? Tot ce este acest lucru, de un dumnezelion de ori, vrei să distrugi şi să decreezi în totalitate? Right and wrong, good and bad, POD and POC, all 9, shorts, boys, POVADs and beyonds.

Participant: Este fascinant. Asta înseamnă că este o necesitate să ai o familie şi să ai copii iar ei numesc asta bucurie. Uau!

Gary: A avea copii este amuzant uneori şi de foarte multe ori nu este amuzant. Nu este totul grozav şi noroc şi minune, şi nici nu este totul fabulos şi excepţional. Dacă eşti conştient, în loc să fie o necesitate, ai avea o conştientizare cu privire la ce ai obţine dacă ai avea o familie şi copii, şi ţi-ar oferi un loc din care să alegi.

Încă o dată: pervertirea supremă este totala conştientizare. Asta înseamnă pervertire – conştientizarea totală. Ţi s-a oferit minciuna că pervertirea este orice este rău. Şi cel mai rău lucru pe planeta Pământ este conştientizarea.

Este singurul lucru pe care toată lumea încearcă să-l evite. Putem rula procesul încă o dată?

Dain:

> Ce actualizare fizică a bolii care creează dependenţă, compulsivă şi obsesivă de a apăra şi de a salva această realitate nu recunoşti ca fiind eliminarea şi eradicarea pervertirii conştiinţei totale? Tot ce este acest lucru, de un dumnezeilon de ori, vrei să distrugi şi să decreezi în totalitate? Right and wrong, good and bad, POD and POC, all 9, shorts, boys, POVADs and beyonds.

Participant: Când vorbim despre pervertire vine la suprafaţă cuvântul „împotrivire". Ne împotrivim atunci când încercăm să demontăm această realitate?

Gary: Nu, eşti în defensivă. Dacă te lupţi cu ea, sau dacă o repari, sau dacă o alegi, atunci o aperi sau încerci să o salvezi. Dacă încerci să mergi împotriva ei, lupţi din greu să o salvezi pentru că te lupţi doar cu ceea ce ai dori cu adevărat să ai.

Participant: Aşadar, dacă încerci să creezi schimbare în această realitate încă i te împotriveşti?

Gary: Da. Şi faci acest lucru în loc să ai conştientizare deplină cu privire la ce ar fi diferit care ar putea fi mai amplu şi mai măreţ decât ceea ce avem deja. Trebuie să fii dispus să angajezi această realitate să aibă grijă de tine şi să îţi ofere serviciile ei, în loc să devii angajatul acestei realităţi şi să munceşti din greu pentru a o face să funcţioneze.

Oriunde nu ai destui bani, oriunde viaţa ta nu este prolifică, oriunde cauţi cu disperare să repari o relaţie sau oriunde încerci să anulezi ceva care a existat de când te-ai născut, sau de când aveai opt ani sau aşa ceva, toate aceste lucruri sunt despre ideea că trebuie într-un fel să repari sau să aperi realitatea pe care o ai în prezent şi nu că poţi alege una diferită, una care provine din abilitatea de a recunoaşte că, de fapt, eşti conştient.

Participant: Deci nu vrei să vorbești despre asta din punctul de vedere că este un alt mod de a schimba lumea. Tu vrei să vorbești despre asta din punctul de vedere că aceasta este o conștientizare diferită pe care o poți avea.

Gary: Aceasta este o conștientizare pe care o poți avea și, dacă ai această conștientizare, ce fel de realitate care nu a mai existat poți crea și genera?

Participant: Sunt vinovat de a fi împărtășit această informație cu oamenii pentru că vreau să schimb lumea.

Gary: Eh, cu toții am făcut-o. Noi credem că trebuie să schimbăm lumea în loc să creăm o lume care, de fapt, funcționează. Dacă te-ai uita în jur și ai vedea cât de puține lucruri funcționează pe planeta Pământ, ai încerca să le schimbi? Ai încerca să le repari? Sau ai fi dispus să creezi ceva care nu a mai existat niciodată?

Participant: Cred că problema pentru mine nu este că am crezut întotdeauna că această realitate este reală sau că trebuie să fac tot ce fac toți ceilalți, sau că trebuie să am punctul lor de vedere. Problema a fost: cum creezi o schimbare în care toți ceilalți să fie dispuși să trăiască?

Gary: Ai spus-o din nou. Ai întrebat: „Cum creezi o schimbare?" Nu este vorba despre a crea o schimbare; este vorba despre a crea ceva diferit.

Participant: Faci asta stând în tine însuți și în ceea ce crezi?

Gary: Nu poți face acest lucru. Conștiința include totul și pe toată lumea și nu judecă nimic. Dacă încerci să schimbi lucruri și încerci să rămâi în tine, încerci să te retragi din această realitate ceea ce înseamnă a apăra corectitudinea faptului că ea este greșită și că tu greșești.

Participant: Trebuie să mă gândesc la asta.

Gary: Este diferit față de ce crezi tu. Ai încercat dintotdeauna să schimbi această realitate. Ai reușit?

Participant: Nu.

Gary: Nu. Încercarea de a o schimba se bazează pe ideea că aşa e bine. Cu ani în urmă, când lucram într-o afacere cu tapiţerii, oamenii veneau la mine şi-mi spuneau: „Vreau să-mi repari canapeaua." Canapeaua avea rezemătoare de braţ drepte. Oamenii ziceau: „Vreau să-mi faci nişte braţe evazate."

Le spuneam: „Nu poţi avea braţe evazate la o canapea cu braţe drepte."

Ei răspundeau: „Da, dar vreau o canapea diferită!"

Iar eu le ziceam: „Canapeaua nu este făcută să aibă braţe evazate aşa că nu puteţi obţine braţe evazate."

„Da, dar eu vreau braţe evazate!"

„Atunci mergi şi cumpără o altă canapea."

„Dar vreau să o retapiţez pe aceasta."

„Dar nu o poţi retapiţa şi să o faci să arate sau să se simtă aşa cum ceri."

„Ei bine, atunci voi cumpăra o canapea nouă."

„Da, asta ţi-am spus şi eu să faci."

Tu încerci să retapiţezi o lume care nu funcţionează.

> Tot ce este acest lucru, de un dumnezelion de ori, vrei să distrugi şi să decreezi în totalitate? Right and wrong, good and bad, POD and POC, all 9, shorts, boys, POVADs and beyonds.

Dacă faci o necesitate din a schimba lumea, ai alegere? Sau trebuie să judeci mereu dacă o schimbi sau nu? Trebuie să judeci. Nu poţi avea alegere adevărată atât timp cât există orice fel de necesitate de a o schimba, sau de a o face mai bună, sau de a fi capabil să-i supravieţuieşti, sau oricare dintre aceste lucruri care sunt toate necesităţi care nu-ţi oferă alegere.

Ceea ce cauţi este acel loc pervertit în care ai alegere deplină şi conştientizare deplină. Dar tu presupui că *pervertirea* este greşită, că este ceva rău. Definiţia pervertirii este acel lucru care nu se potriveşte în realitatea normală a altor oameni.

Tot ce este acest lucru, de un dumnezelion de ori, vrei să distrugi şi să decreezi în totalitate? Right and wrong, good and bad, POD and POC, all 9, shorts, boys, POVADs and beyonds.

Participant: Aşadar, pervertirea este uşurinţă, bucurie şi glorie?

Gary: Da.

Participant: Am reuşit o pervertire bună în anumite situaţii dar am presupus că nu îmi reuşea sau că nu făceam lucrul corect şi că trebuia să mă străduiesc mai mult.

Gary: Ce te-a făcut să decizi că greşeai?

Participant: Alţi oameni nu trăiesc ca mine. Nu gândesc ca mine. Eu nu mi-am dorit niciodată copii, nu mi-am dorit niciodată să mă căsătoresc. Nu am dorit niciodată lucrurile acelea. Nu mă împotriveam; au fost pur şi simplu alegeri. Pur şi simplu nu mi-am dorit acele lucruri.

Gary: OK.

Participant: Dar asta nu diminuează judecăţile care mă inundă cu privire la ele şi mă surprind că le vreau şi că tânjesc după ele...

Gary: Atât timp cât crezi că cineva te judecă, pe tine şi alegerile tale, eşti pierdut şi ai pierdut. Despre asta este partea care creează dependenţă, compulsivă şi obsesivă a acestui lucru. Este acolo unde începi mereu să te vezi pe tine ca o faptă condamnabilă.

Trebuie să fii dispus să ai o realitate diferită, în care răspunzi judecăţii prin: „OK, mulţumesc că mă judeci" sau „Dumnezeule, mă judeci! Îţi mulţumesc că mă judeci."

Tot ce este acest lucru, de un dumnezelion de ori, vrei să distrugi şi să decreezi în totalitate? Right and wrong, good and bad, POD and POC, all 9, shorts, boys, POVADs and beyonds.

Dacă te-ai putea afla în spaţiul acela care este cu adevărat pervertit...

Participant: (râzând) Scuze, a trebuit să râd.

Dain: Bun.

Gary: Este un râs mefistofelic!

Participant: Este grozav!

Gary: Observi cât de fericit te face asta?

Participant: Este o uşurare să nu trebuiască să încerc să mă corectez.

Gary: Când eşti mereu într-o stare de a corecta ceva, încerci mereu să aperi această realitate. Fie că e vorba de tine, de această realitate sau de orice altceva, trebuie să ajungi într-un punct în care să recunoşti: „Oh! Am o alegere diferită faţă de ce are majoritatea! Eu aleg altfel decât ei!" Nu este: „Eu am dreptate" sau „Eu greşesc". Este doar: „Pur şi simplu sunt diferit". A fi diferit este văzut ca pervertit în această realitate. Tot ce nu se încadrează în modul standard de operare este o pervertire.

Participant: Este vorba despre a transforma pervertirea într-un succes la fel de mult cât este o încercare de a o corecta? Foloseşte la ceva acea pervertire?

Gary: Nu ai folosit pervertirea pentru a crea succes pentru că nu ai întrebat: „Este asta o necesitate pentru mine? Sau este o alegere? Fac ceea ce fac din alegere?" Atât timp cât ai o necesitate cu privire la orice, nu alegi. Eşti condus de ceva din afara ta.

Dain: Dacă spui că este o necesitate să demonstrezi că ai succes din acest punct de vedere, sau că este o necesitate să demonstrezi că faci lucrurile aşa cum trebuie, atunci nu funcţionezi din uşurinţa alegerii acelui lucru.

Dar dacă este doar o alegere şi o conştientizare: „Cu mine se petrec alte lucruri decât cu toţi ceilalţi" atunci ai libertatea de a permite alegerii tale să contribuie vieţii tale şi nu eşti limitat de acest lucru.

Participant: Se simte mai mult ca cea din urmă dar, cu siguranţă, mă voi uita la acest aspect cu atenţie.

Dain: Pune un semn pe uşa de la dormitorul tău care să spună: „Sub evaluare şi execuţie atentă".

Participant: (râzând) Simpatic.

Dain:

> Ce actualizare fizică a bolii care creează dependenţă, compulsivă şi obsesivă de a apăra şi de a salva această realitate nu recunoşti ca fiind eliminarea şi eradicarea pervertirii conştiinţei totale? Tot ce este acest lucru, de un dumnezelion de ori, vrei să distrugi şi să decreezi în totalitate? Right and wrong, good and bad, POD and POC, all 9, shorts, boys, POVADs and beyonds.

Îţi aminteşti când am vorbit despre furie, mânie, turbare şi ură şi am spus că furia şi potenţa sunt foarte apropiate? Când te aliniezi şi eşti de acord cu ceva, apare o mică schimbare sau ajustare. Pentru tine ca fiinţă, există o energie de bază care este adevărată. Apoi te aliniezi şi eşti de acord cu acest lucru şi ea se ajustează.

Energia unicităţii care eşti este diferită de această realitate. Când te aliniezi şi eşti de acord sau te împotriveşti şi reacţionezi, implantul de distragere poate fi implantat şi explantat[7]. Fără acea aliniere şi acord sau acea împotrivire şi reacţie, implantul nu ar exista. Fără necesitatea de a considera vreuna din ele corectă sau greşită, nimic din acestea nu ar putea exista în acelaşi fel.

Gary:

> Ce actualizare fizică a bolii care creează dependenţă, compulsivă şi obsesivă de a apăra şi de a salva această realitate nu recunoşti ca fiind eliminarea şi eradicarea pervertirii conştiinţei totale? Tot ce este acest lucru, de un dumnezelion de ori, vrei să distrugi şi să decreezi în totalitate? Right and wrong, good and bad, POD and POC, all 9, shorts, boys, POVADs and beyonds.

Participant: Dain, tocmai ai spus că atunci când mă aliniez şi sunt de acord deschid uşa pentru ca implanturile de distragere să îşi facă apariţia? Corect?

---

[7] Implanturile sunt lucruri care au fost făcute corpului, într-o viaţă sau alta. Explanturile sunt lucruri care au fost făcute în afara corpului, în corpurile eterice din jurul corpului fizic. Ele au un efect asupra corpului dar nu sunt în corp.

Gary: Da, e corect. Nu are importanţă dacă te aliniezi sau eşti de acord, sau dacă te împotriveşti sau reacţionezi. Oricare dintre ele te scoate din *alegere* şi te duce în *necesitate*. Ai observat vreodată cum, atunci când ai o conştientizare despre ceva anume şi vrei să o împărtăşeşti cu cineva, persoana respectivă spune: „Ah, greşeşti!" sau „Eşti nebun!"? Nu vede ceea ce vezi tu.

Dain: Se întâmplă şi atunci când cineva te roagă să-i spui când se comportă aşa cum spune că nu ar vrea să se comporte. Dacă spui: „Ţii minte când mi-ai zis să-ţi spun când te comporţi aşa cum nu vrei să te comporţi? Ei bine, acum o faci." Dacă nu sunt pregătiţi să audă acest lucru atunci se vor înfuria.

Gary: Şi nu sunt niciodată pregătiţi să audă asta, aşa că nu crede când oamenii zic: „Spune-mi când fac ceea ce nu ar trebui să fac." Nu te obosi, căci mint.

Dain: Dacă le spui că mint, nu te vor crede niciodată. Dar, de fapt, ei mint. Nu vor să ştie niciodată despre lucrurile acelea, doar spun că vor.

Gary: Să rulăm procesul din nou, Dr. Dain.

Dain:

> Ce actualizare fizică a bolii care creează dependenţă, compulsivă şi obsesivă de a apăra şi de a salva această realitate nu recunoşti ca fiind eliminarea şi eradicarea pervertirii conştiinţei totale? Tot ce este acest lucru, de un dumnezelion de ori, vrei să distrugi şi să decreezi în totalitate? Right and wrong, good and bad, POD and POC, all 9, shorts, boys, POVADs and beyonds.

Gary: Se pare că ajungem undeva cu asta. Să fie adevărat?

Dain: Da, este.

Gary: Grozav.

> Aşadar, ce necesitate foloseşti pentru a crea boala în corpul tău? Tot ce este acest lucru, de un dumnezelion de ori, vrei să distrugi şi să decreezi

în totalitate? Right and wrong, good and bad, POD and POC, all 9, shorts, boys, POVADs and beyonds.

Ce necesitate foloseşti şi ce apărare a acestei realităţi alegi pentru a crea problemele pe care le ai în căsnicia ta? Tot ce este acest lucru, de un dumnezelion de ori, vrei să distrugi şi să decreezi în totalitate? Right and wrong, good and bad, POD and POC, all 9, shorts, boys, POVADs and beyonds.

Ce actualizări fizice ale bolii iminente şi în fază terminală a necesităţii nu recunoşti ca sursa superioară pentru crearea universului de non-alegere care crezi că îţi creează realitatea? Tot ce este acest lucru, de un dumnezelion de ori, vrei să distrugi şi să decreezi în totalitate? Right and wrong, good and bad, POD and POC, all 9, shorts, boys, POVADs and beyonds.

Dain:

Ce actualizări fizice ale bolii iminente şi în fază terminală a necesităţii nu recunoşti ca sursa superioară pentru crearea universului de non-alegere care crezi că îţi creează realitatea? Tot ce este acest lucru, de un dumnezelion de ori, vrei să distrugi şi să decreezi în totalitate? Right and wrong, good and bad, POD and POC, all 9, shorts, boys, POVADs and beyonds.

Participant: Acum pricep de ce ai folosit expresia „care creează dependenţă". Într-un fel, am ştiut că pervertirea este deplina conştientizare iar acum îmi este mult mai clar. Am vrut doar să-ţi mulţumesc. Este profund transformator să aud că este conştientizarea totală şi conştiinţa deplină! Mulţumesc foarte mult amândurora!

Gary: Cu plăcere.

Ce actualizare fizică a bolii iminente şi în fază terminală a necesităţii nu recunoşti ca sursa superioară pentru crearea universului de non-alegere care crezi că îţi creează realitatea? Tot ce este acest lucru, de un dumnezelion de ori, vrei să distrugi şi să decreezi în totalitate? Right and wrong, good and bad, POD and POC, all 9, shorts, boys, POVADs and beyonds.

Sursa supremă

Observi că am spus „sursa superioară" întrucât sursa supremă ar trebui să fii tu. Tu crezi că există o sursă care îți este superioară și care ți-a adus realitatea de non-alegere. Nu există așa ceva! Voi sunteți în poziția de comandă, oameni buni!

> Tot ce este acest lucru, de un dumnezelion de ori, vreți să distrugeți și să decreați în totalitate? Right and wrong, good and bad, POD and POC, all 9, shorts, boys, POVADs and beyonds.

> Ce actualizare fizică a bolii iminente și în fază terminală a necesității nu recunoști ca sursa superioară pentru crearea universului de non-alegere care crezi că îți creează realitatea? Tot ce este acest lucru, de un dumnezelion de ori, vrei să distrugi și să decreezi în totalitate? Right and wrong, good and bad, POD and POC, all 9, shorts, boys, POVADs and beyonds.

Participant: Ce a ieșit la suprafață pentru mine a fost că universul de non-alegere este realitatea mea.

Gary: Da, pentru că tu crezi că există ceva acolo care este mai presus de tine. Crezi că este ceva deasupra ta care este mai grozav decât tine. Asta te pune într-o poziție în care nu ai alegere. Pentru tine, lipsa alegerii este mai reală decât alegerea.

Și, dacă ai punctul de vedere al non-alegerii, înseamnă că oriunde ai decis că nu ai alegere elimini capacitatea de a schimba orice ți-ai dori să schimbi. Schimbarea încetează în momentul în care ai universul de non-alegere.

Participant: Mulțumesc.

Gary: Ai capacitatea de a schimba orice dorești.

> Ce actualizare fizică a bolii iminente și în fază terminală a necesității nu recunoști ca sursa superioară pentru crearea universului de non-alegere care crezi că îți creează realitatea? Tot ce este acest lucru, de un dumnezelion de ori, vrei să distrugi și să decreezi în totalitate? Right and wrong, good and bad, POD and POC, all 9, shorts, boys, POVADs and beyonds.

Gary: Voi schimba puțin formularea:

Ce actualizare fizică a bolii iminente și în fază terminală a necesității nu recunoști ca sursa superioară pentru crearea universului de non-alegere care crezi că îți creează și îți domină realitatea? Tot ce este acest lucru, de un dumnezelion de ori, vrei să distrugi și să decreezi în totalitate? Right and wrong, good and bad, POD and POC, all 9, shorts, boys, POVADs and beyonds.

Oh, e bună! A făcut să fie și mai rău.

Participanții: (râzând)

Gary:

Ce actualizare fizică a bolii iminente și în fază terminală a necesității nu recunoști ca sursa superioară pentru crearea universului de non-alegere care crezi că îți creează și îți domină realitatea? Tot ce este acest lucru, de un dumnezelion de ori, vrei să distrugi și să decreezi în totalitate? Right and wrong, good and bad, POD and POC, all 9, shorts, boys, POVADs and beyonds.

Participant: Uau! „Sursa superioară" m-a dus la toate marile secrete.

Gary: Da, pentru că tu, ca ființă infinită, dacă ai avea conștientizare adevărată, ai avea vreun secret?

Participant: S-ar părea că nu.

Gary: Nu. Facem o mulțime de lucruri pentru a crea ideea că există o sursă superioară care exercită control asupra noastră. Așa creăm destinul și karma și toate celelalte.

Participant: Și așa ne conducem și corpurile. Asta pare a fi un mister pentru mulți dintre noi: cum ne conducem corpurile, ce facem cu ele, ce pot face ele, cum se pot ele vindeca.

Gary: Da. A-ți înțelege corpul este o pervertire.

Participant: Că poți sau că nu poți?

Gary: Dacă poți este o pervertire. Așa că încerci să nu o faci pentru a păstra secretul, pentru a putea crede că există o sursă superioară care te poate controla. Cât de amuzant este acest lucru?

Dain: Deoarece, dacă nu poți măcar controla lucrul elementar numit *corpul tău* și să faci să-ți crească trei brațe și trei picioare și toate lucrurile pe care ar trebui să fii capabil să le faci, crezi că ai cel mai mic nivel de potență și capacitate de a crea schimbare și de a alege. Este modul tău constant de a aplica universul de non-alegere.

Gary: Și ai punctele de vedere care creează dependență, compulsive și obsesive că tu, într-un fel, nu știi cum să ai control asupra corpului tău, nu ești creatorul corpului tău și, de fapt, nu ai abilitatea de a-l schimba.

Participant: Ah! Asta a fost ca și când mi-ai fi tras un pumn!

Gary: Scuze!

Participant: Mulțumesc.

Gary: Acesta nu este și punctul meu de vedere. Am făcut toate clasele de procese pentru corp pentru a oferi oamenilor mai multă conștientizare cu privire la corpurile lor. Clasa avansată de procese pentru corp conține niște noțiuni noi care încep să aibă efecte dinamice. Dacă va merge în direcția în care a mers până acum, va fi pur și simplu minunat. Așa că urați-ne succes pentru ca, în cele din urmă, să obținem un avantaj în acest aspect al nebuniei și pentru a crea o schimbare și aici.

Tot ce este acest lucru, de un dumnezelion de ori, vreți să distrugeți și să decreați în totalitate? Right and wrong, good and bad, POD and POC, all 9, shorts, boys, POVADs and beyonds.

Dain:

Ce actualizare fizică a bolii iminente şi în fază terminală a necesităţii nu recunoşti ca sursa superioară pentru crearea universului de non-alegere care crezi că îţi creează şi îţi domină realitatea? Tot ce este acest lucru, de un dumnezelion de ori, vrei să distrugi şi să decreezi în totalitate? Right and wrong, good and bad, POD and POC, all 9, shorts, boys, POVADs and beyonds.

Participant: *Asta ar fi tot ceea ce este. Noi suntem actualizarea fizică a tuturor acestora.*

Gary: Da, şi mai mult decât atât. Şi noi nu am fost toate acestea. Am funcţionat din regulile acestei realităţi. Am apărat această realitate şi am fost salvatorii acestei realităţi încercând să reparăm ce nu funcţionează în loc să creăm ceea ce va funcţiona.

Participant: *Ador asta. Este aşa o uşurare! Nici nu-ţi imaginezi.*

Gary: Ba îmi imaginez! A fost o uşurare pentru mine să îmi dau seama de acest lucru.

Participant: *Mă uitam la necesitatea confidenţialităţii şi am conştientizat că pentru a alege ca lucrurile să fie confidenţiale încerc să evit judecata. Cred, aşadar, că judecata este o sursă mai puternică şi mai măreaţă decât mine?*

Gary: Da, nu-i aşa că e grozav?

Participant: *Se pregăteşte ceva.*

Gary: Da. Este judecata ca sursă superioară.

Dain: Întrebarea mea este: „Cât de bine funcţionează?"

Participant: *Deloc.*

Gary: Asta este partea amuzantă – facem toate lucrurile acestea şi nu funcţionează. Şi continuăm să le facem ca şi când, într-un fel, vor ajunge să funcţioneze. Suntem cele mai tâmpite creaturi de pe planetă sau cum?

Participant: Putem face POD şi POC la mai multe judecăţi?

Gary:

Tot ce este acest lucru, de un dumnezelion de ori, vrei să distrugi şi să decreezi în totalitate? Right and wrong, good and bad, POD and POC, all 9, shorts, boys, POVADs and beyonds.

Participant: Mulţumesc.

Gary: Hai să rulăm procesul încă o dată, Dr. Dain!

Dain:

Ce actualizare fizică a bolii iminente şi în fază terminală a necesităţii nu recunoşti ca sursa superioară pentru crearea universului de non-alegere care crezi că îţi creează şi îţi domină realitatea? Tot ce este acest lucru, de un dumnezelion de ori, vrei să distrugi şi să decreezi în totalitate? Right and wrong, good and bad, POD and POC, all 9, shorts, boys, POVADs and beyonds.

Gary: Există aspecte importante aici:

1. Care creează dependenţă, compulsiv şi obsesiv apar doar când plasezi ceva în *necesitate*. Trebuie să creezi o necesitate legată de ceva anume pentru ca acel lucru să creeze dependenţă, să fie compulsiv sau obsesiv.

2. Sau, ai făcut acel lucru ne-necesar, inutil sau non-necesar pentru ca aspecte care creează dependenţă, care sunt compulsive şi obsesive să-şi facă apariţia.

3. Adevăratele pervertiri în viaţă sunt bucuria, unitatea şi conştiinţa. Aceasta înseamnă perversiune în această realitate. Nimic altceva nu este la fel de pervertit precum conştientizarea efectivă şi deplină.

Dacă vrei cu adevărat să depăşeşti asta, trebuie să alegi conştientizarea deplină. Poţi trece de toate implanturile de distragere din conştientizare deplină. Dar atât timp cât nu practici conştientizarea totală, aceste implanturi de distragere te pot controla pe-de-a-ntregul. Vă rog să pricepeți că dacă este o *necesitate* și nu o *alegere* atunci nu este conștientizare.

Dain: Poți obține multă libertate dacă, pe lângă a asculta aceste curățări de multe ori pe parcursul săptămânilor viitoare, întrebi: „Câte necesități am care creează acest lucru?" de câte ori te surprinzi că greșești, sau că te împotrivești, sau că te irită ceva. Și apoi le distrugi și le decreezi. Le faci POD și POC.

Pe măsură ce ieși din necesitate, vei ieși de asemenea din abilitatea de a fi limitat, distrus și blocat de implanturile de distragere. Nu vor mai putea avea același efect asupra ta ca mai înainte pentru că vei funcționa din alegere.

Gary: O doamnă care făcea chestia asta cu necesitatea a descoperit că se înfuria instantaneu pentru că avea această necesitate de a se simți puternică. Când a depășit necesitatea de a se înfuria, și a început să se uite la „Care este alegerea mea aici?", furia s-a disipat instantaneu.

Încercase să funcționeze dintr-un loc în care avea un sentiment de putere și a devenit un loc unde dispunea de propria putere și potență. În loc să reacționeze la orice (ceea ce implanturile de distragere au rolul să ne determine să facem - să te facă să reacționezi și nu să acționezi), a început să acționeze. Acest lucru a creat schimbări uriașe pentru ea, cu ea însăși și cu corpul ei, cu toți cu care stătea de vorbă și cu toți cu care interacționa.

Așadar, nu e o mare chestie. Este, pur și simplu, totul.

NECESITATE SAU ALEGERE?

Vei crea o realitate complet diferită dacă începi să funcționezi din întrebarea: „Este aceasta o necesitate sau o alegere?" Pur și simplu, fă tot ceea ce faci din spațiul în care întrebi dacă este o necesitate sau o alegere. Este o necesitate pentru tine să mănânci ouă cu șuncă la micul dejun? Sau este o alegere? Este o necesitate pentru tine să bei cafea înainte să te fi trezit? Sau este o alegere?

Dain: Este o necesitate să mănânci mâncare nepreparată termic pentru ca să crezi că ești sănătos? Sau este o alegere?

Gary: Este o necesitate să mănânci corect pentru a-ți crea corpul? Sau este o alegere?

Dain: Azi dimineață am luat micul dejun cu un tip care lucrează cu noi, programează interviuri și alte lucruri pentru mine când sunt în Australia. S-a uitat la ce era pe masă și a spus: „În curând ai un interviu cu cineva de la o revistă pentru bărbați pe teme de sănătate și ce este aici este exact ce trebuie să vadă."

L-am întrebat: „Despre ce vorbești?"

Mi-a răspuns: „Modul în care te hrănești, ce ai pe masă și ce vei mânca – nu așa ar trebui să stea lucrurile."

I-am spus: „Poftim? Te referi la batoanele mele Cocoa Puffs cu granola în ele? Ouăle mele cu ketchup? Șunca? Brânza cu carne deasupra? Pâinea cu gem? La ce te referi? Nu acesta este modul de a crea un corp sănătos?"

Toate lucrurile care am decis că sunt necesități ne împiedică să avem alegeri diferite.

Gary: Și sunt o mulțime de lucruri pe care le „cumpărăm" de la alții ca fiind o necesitate – cum ar fi că e o necesitate să te îmbraci. Ei bine, nu este o necesitate dar ar putea fi o alegere. Dacă afară e frig ar putea fi o alegere bună să porți ceva călduros dar trebuie să întrebi dacă faci asta din necesitate sau din alegere.

De ce faci tot ceea ce faci – în fiecare aspect al vieții tale?

Este o necesitate să nu ai destui bani? Sau este o alegere să nu ai destui bani? Întreabă: „Fac asta din necesitate sau din alegere? Care este necesitatea din care funcționez care mă împiedică să am toți banii pe care mi-ar plăcea să-i am? Este o alegere să nu ai bani? Uau! Habar n-aveam."

Trebuie să fii dispus să ai conştientizarea necesităţii sau alegerii. Vă rog lucraţi cu asta în următoarele săptămâni pentru că va crea nişte schimbări fenomenale pentru voi, dacă sunteţi dispuşi să le faceţi.

Există întrebări?

Participant: Abia dacă am vorbit despre dependenţă, ceea ce e interesant de vreme ce este un subiect atât de amplu. Ce face ca dependenţa să fie un subiect atât de important?

Gary: Ceea ce ai decis. Dependenţa nu e mare lucru. Dependenţa este reacţia pe care o ai cu privire la tot, ca şi când e mai importantă decât conştientizarea ta. Dependenţa este modul în care elimini conştientizarea.

Fiecare dependenţă pe care ai creat-o pentru a crea o eliminare a conştientizării tale, vrei să distrugi şi să decreezi în totalitate? Right and wrong, good and bad, POD and POC, all 9, shorts, boys, POVADs and beyonds.

Participant: Vreau să întreb încă o dată despre somn. În loc să spun: „Trebuie să dorm atâtea ore pentru a crea corpul astfel încât să nu mă simt obosit" ar trebui să întreb corpul: „Corpule, ai nevoie de somn? Dacă da, cât de mult?"

Gary: Nu, eu nu aş pune această întrebare. Aş întreba: „Este o necesitate de a dormi atât de mult sau este o alegere?" Este foarte simplu.

Săptămâna trecută, Dain şi cu mine am descoperit că ne trezim la o oră din zi la care nu sunt foarte mulţi oameni cu care să putem interacţiona iar asta este ora la care noi suntem cel mai generativi şi mai creativi. Avem tendinţa să credem că a fi generativi şi creativi este despre a te trezi şi a face ceva în loc să folosim acea energie generativă şi creativă pentru a crea o schimbare în aspectul vieţii noastre, a afacerii noastre, a realităţii noastre sau a corpurilor noastre, schimbare pe care nu am cerut-o.

În clipa în care te trezeşti, întreabă:

- „Am terminat cu somnul?

- Ce se petrece aici?

- Este acesta momentul meu generativ şi creativ?
- Ce energii generative şi creative am la dispoziţie acum şi cum le pot folosi pentru a-mi expansiona viaţa?"

Aşa facem noi. Ne trezim, ne dăm jos din pat şi folosim energiile generative şi creative pe care le avem la dispoziţie pentru a expansiona diverse domenii din viaţa noastră şi pentru a schimba aspectele vieţii noastre care nu funcţionează exact aşa cum ne-am dori noi.

Participant: Mulţumesc, Gary.

Gary: Cu mare plăcere.

Participant: Există o diferenţă între necesar şi necesitate?

Gary: Nu prea.

Participant: OK. Deci ambele fac acelaşi lucru?

Gary: Este necesar să-mi iau copiii de la şcoală? Dacă ar fi alegerea mea, i-aş lăsa pe micuţii netrebnici acolo...

Participanţii: (râzând)

Gary: Facem o necesitate din a-i lua de la şcoală pentru că nu dorim să fim văzuţi ca nişte părinţi răi.

Participant: Există ceva între necesitate şi alegere? Dacă nu eşti în necesitate sau alegere, unde te afli?

Gary: Te afli undeva într-o lume inventată care nu există cu adevărat. Este fie necesitate, fie alegere. Acestea sunt locurile din care funcţionăm, în acest moment. Nu există nimic între conştientizare şi ne-conştientizare care este creată de necesitate.

Participant: Am o altă întrebare despre somn. Dacă, timp de mai multe nopţi, nu dorm atât de mult cât sunt obişnuit mă simt puţin obosit sau corpul se simte aiurea. A avea această oboseală este o necesitate sau aleg oboseala?

Gary: Poate în cazul tău există o necesitate de a dormi un anumit număr de ore sau necesitatea de a te simți într-un anumit fel când te trezești. Eu, când mă trezesc și mă simt obosit, întreb: „Corpule, ești cu adevărat obosit?"

El spune „Nu".

Eu întreb: „Așadar, este asta a altcuiva?"

„Da".

„Bine!" și depășesc momentul.

În nouăzeci și nouă la sută din cazuri nu întrebi: „Este asta a mea?" Presupui: „Sunt obosit!" Și, OK, poate că ești obosit dar tu nu dormi, niciodată. Doar corpul tău doarme. Așa că întreabă: „Corpule, ești obosit?" Și, de obicei, el spune „Nu".

Necesitatea orelor lungi de somn ne-a fost inoculată. Copil fiind ți se spune că trebuie să dormi altfel vei fi obosit a doua zi la școală. Chestii de genul ăsta. Când ești copil nu obosești niciodată... până când obosești și te întinzi, adormi și gata. Ești dus. Copiii nu se întind în pat și încearcă să adoarmă precum adulții.

Asta se aplică și altor lucruri. Dain a observat că ideea de a-și schimba echilibrul hormonal i-a fost inoculată ca fiind ceva ce ar trebui să facă la vârsta lui dar nu era adevărat pentru el. Asta poate că se aplică și unora dintre voi.

Tot ce este acest lucru, de un dumnezelion de ori, vreți să distrugeți și să decreați în totalitate? Right and wrong, good and bad, POD and POC, all 9, shorts, boys, POVADs and beyonds.

Participant: Mulțumesc!

Gary: Cu plăcere! Bine, oameni buni, ne aflăm la finalul întâlnirii noastre. Vă rog gândiți-vă la aceste lucruri, uitați-vă la ele și ascultați acest *call* încă o dată pentru că vă va oferi mult mai multă claritate. Vă mulțumesc tuturor pentru că ați fost aici în seara asta.

Dain: Mulțumesc oameni minunați, dependenți, compulsivi, obsesivi și pervertiți.

Capitolul patru

Iubire, sex, gelozie şi pace

Gary: Salutare tuturor! Astăzi vorbim despre implanturile de distragere iubire, sex, gelozie şi pace. Realitatea este că niciunul dintre acestea nu există, efectiv, pe planeta Pământ.

Iubire

Iubire are aproximativ opt trilioane de definiţii aşa că atunci când spui cuiva „Te iubesc" ei habar nu au despre ce vorbeşti. Ei *cred* că au o idee cu privire la ce spui pentru că din punctul lor de vedere iubirea înseamnă x, y şi z. Nu are nimic de-a face cu punctul tău de vedere sau cu definiţia ta despre iubire.

Dain: În cazul iubirii – nu este vorba doar despre definiţiile pe care le cauţi în dicţionar; există tot felul de activări astfel încât, atunci când îl auzi de la persoane diferite, în contexte diferite, înseamnă lucruri diferite pentru tine.

Atunci când spui cuiva „Te iubesc", imediat după ce ai spus-o, vei observa o contractare în lumea lor sau o contractare în lumea ta. Acest cuvânt în mod special are tendinţa de a aduce la suprafaţă o anumită activare energetică care creează întotdeauna mai multă limitare, nu mai multe posibilităţi.

Gary: Dacă spui „Te iubesc" copiilor tăi este acelaşi lucru ca atunci când spui „Te iubesc" iubitului tău? Este acelaşi lucru sau este ceva diferit? Despre ce anume vorbeşti când spui „Te iubesc"? Din ce funcţionezi? Din ce creezi? Acesta este elementul distructiv al acestui implant – este despre a crea confuzie; nu este niciodată despre a crea claritate.

Tot ce ai făcut pentru a crea iubirea ca implantul de distragere al întregului univers care, de fapt, te împiedică să ai orice conştientizare, vrei să distrugi şi să decreezi în totalitate? Right and wrong, good and bad, POD and POC, all 9, shorts, boys, POVADs and beyonds.

Dain: Avem tendinţa să creăm iubirea într-atât de valoroasă încât mai degrabă am avea iubirea şi confuzia care o însoţeşte, în locul spaţiului care vine împreună cu conştientizarea.

Gary: Doar despre asta este vorba cu aceste implanturi de distragere: au rolul să creeze un loc în care habar nu ai ce anume ceri. Ştii doar că ceri ceva ce nu ar trebui să fie livrat.

Toate lucrurile pe care le-ai cerut, care nu pot fi livrate, vrei să distrugi şi să decreezi în totalitate, te rog? Right and wrong, good and bad, POD and POC, all 9, shorts, boys, POVADs and beyonds.

GELOZIE

Aşadar, aceasta este iubirea. Gelozia provine de la Sfântul Gelos Divinul (Saint Jealous the Divine) care a fost un cult despre a nu permite ca ceva să se schimbe vreodată. A fost despre a te agăţa de forma fizică a unui lucru anume astfel încât să nu se schimbe vreodată sau să nu se dezintegreze.

Erai gelos pe mobila ta pentru ca mobila să nu se dezintegreze, să nu dispară, să nu înceteze să existe în forma curentă. Nimic din viaţa ta nu putea să se degradeze. Aceasta a fost definiţia primară a Sfântului Gelos.

Dain: Te-ai putea uita la lucrurile în raport cu care majoritatea oamenilor devin geloşi: sexul şi relaţiile, cineva care flirtează cu altcineva, cineva care face sex cu altcineva. Iar conceptul ar fi: „Relaţia mea se va destrăma dacă se întâmplă acest lucru. Ah, nu! Relaţia mea nu se poate schimba pentru că este o parte vitală a vieţii mele."

În mod clar, aceasta este o altă abordare a geloziei. Recunoaşterea faptului că gelozia este despre a menţine lucrurile pe loc astfel încât să nu se schimbe, începe să deblocheze pentru tine subiectul geloziei într-un mod cu totul diferit.

Câți dintre voi v-ați luat angajamentul față de Sfântul Gelos Divinul ca un mod de a vă asigura că nimic în viața voastră nu se va destrăma?

Toți cei care ați depus jurăminte, legăminte, jurăminte solemne, fidelități, loialități și angajamente[8] *față de Sfântul Gelos Divinul, distrugeți și decreați toate acestea, de un dumnezelion de ori, vă rog? Right and wrong, good and bad, POD and POC, all 9, shorts, boys, POVADs and beyonds.*

Dain: Câți dintre voi ați făcut gestul extrem și ați devenit Sfântul Gelos Divinul?

Gary: De fapt, nu au devenit Sfântul Gelos Divinul ci au preluat rolul de a fi Sfântul Gelos Divinul.

Câți dintre voi v-ați dedicat viața lui a fi Sfântul Gelos Divinul? Tot ce este acest lucru, vreți să distrugeți și să decreați în totalitate? Right and wrong, good and bad, POD and POC, all 9, shorts, boys, POVADs and beyonds.

SEX

Să vorbim despre sex. Sexul este ce? Sex este atunci când mergi țanțoș, te simți bine și încrezător. Nu este vorba despre copulația pe care o faci. Din nefericire, cei mai mulți dintre noi definesc sex ca și copulație.

Oriunde definiți *copulația* ca *sex* trebuie, în mod inevitabil, să considerați că greșiți pentru că arătați bine, vă simțiți bine sau aveți un mers încrezător. Tot ce este acest lucru, de un dumnezelion de ori, vreți să distrugeți și să decreați în totalitate? Right and wrong, good and bad, POD and POC, all 9, shorts, boys, POVADs and beyonds.

---

[8] O fidelitate este o promisiune din perioada feudală ca atunci când un șerb jura loialitate unui rege în schimbul protecției pe care acesta i-o oferea. O loialitate este o fidelitate care s-a integrat în structura ta fizică. Este precum un jurământ de sânge pe steroizi.

Dain: Toată lumea are punctul de vedere că a pune laolaltă părți ale corpului înseamnă *sex*. Dar, cât de mult din momentele de copulație pe care le-ai avut în viață s-a simțit ca și crearea de mai mult spațiu și mai multă dorință de a arăta bine și de a te simți bine și de a păși țanțoș? Și cât de mult din ele au creat mai puțin?

Gary:

Oriunde ai „cumpărat" că *mai puțin* este egal cu *sex* și oriunde ai negat că a arăta bine, a te simți bine, a merge cu pieptul înainte și a fi expansionat era, de fapt, autenticitatea, vrei să distrugi și să decreezi în totalitate? Right and wrong, good and bad, POD and POC, all 9, shorts, boys, POVADs and beyonds.

Și oriunde ai decis că dacă doar ai putea copula ai putea obține mult mai mult din a arăta bine, a te simți bine, a merge țanțoș - dar nu a funcționat așa – deci tot ce ai obținut a fost încă o șansă de a trece în judecată de sine, de unde și chestia asta cu implantul de distragere, vrei să distrugi și să decreezi, te rog? Right and wrong, good and bad, POD and POC, all 9, shorts, boys, POVADs and beyonds.

PACE

Lucrul care menține toate acestea în existență este pacea. Unde vezi tu că există pace pe planeta Pământ? Nu vezi, nu-i așa? Pacea nu există nicăieri.

Dain: De fapt, există în natură, acolo unde nu există oameni.

Gary: Ah, da, acolo. În afară de asta, pacea nu există.

Așadar, oriunde în rasa umană, unde pacea este ceea ce căutați și pacea este ceea ce nu aveți, vreți să distrugeți și să decreați toate acestea? Right and wrong, good and bad, POD and POC, all 9, shorts, boys, POVADs and beyonds.

Aspectul legat de pace, care este unic și adevărat, este atunci când tu ești tu însuți, ca ființă. Ai un sentiment de pace. Și împreună cu pacea vin bucuria și posibilitatea. Așadar, de ce este pacea un implant de distragere? În loc să fii împăcat cu ceea ce este, tu încerci să creezi o problemă ca să ai ceva pe care să-l depășești, pentru a putea descoperi pacea pe care crezi că ai avea-o dacă ai depăși problema.

Tot ce este acest lucru, de un dumnezelion de ori, vreți să distrugeți și să decreați în totalitate? Right and wrong, good and bad, POD and POC, all 9, shorts, boys, POVADs and beyonds.

Pacea este o stare firească de a fi. Și dacă ai avea un sentiment de pace cu lucrurile, ți-ai împiedica partenerul să copuleze cu altcineva? Sau ai fi dispus să vezi acest lucru ca o contribuție pentru viața lui?

Ori de câte ori încerci să ai un sentiment de pace, încerci să creezi un loc unde te simți bine cu privire la ce se petrece în viața ta. Este acolo unde te simți bine cu ce se întâmplă în viața ta și simți că nu trebuie să-i dai atenție, ceea ce înseamnă că nu trebuie să ai conștientizare. Și, atunci când nu ai conștientizare, ai posibilitate, alegere și întrebare și contribuție? Nu.

Tot ce este acest lucru, de un dumnezelion de ori, vreți să distrugeți și să decreați în totalitate? Right and wrong, good and bad, POD and POC, all 9, shorts, boys, POVADs and beyonds.

Pacea este cheia care te închide în toate aceste locuri pentru că tu, de fapt, nu crezi că pacea există.

Vorbeam deunăzi cu un tip care spunea: „Divorțez. Viața mea s-a terminat. E îngrozitor. Iubesc această femeie și vreau să fiu cu ea.”

I-am spus: „Aiureli!”

El mi-a răspuns: „Poftim?”

Am zis: „Aiureli! Când ai părăsit această relație? Cu mai mult de cinci ani în urmă sau mai puțin?”

El a răspuns: „Dumnezeule! Cu mai mult de cinci ani.”

I-am zis: „Da. Deci, acum şase ani ai părăsit relaţia iar acum eşti supărat pe ea că are un prieten? Despre ce vorbeşti, amice? Asta e nebunie curată."

Cam aşa funcţionează oamenii. Încearcă să demonstreze că au dreptate şi că cealaltă persoană greşeşte, ceea ce nu înseamnă pace. Pacea adevărată este: „Dacă eu nu sunt cel mai bun pe care l-ai avut vreodată, du-te şi găseşte pe altcineva." Acesta este punctul meu de vedere.

Tot ce este acest lucru, de un dumnezelion de ori, vreţi să distrugeţi şi să decreaţi în totalitate? Right and wrong, good and bad, POD and POC, all 9, shorts, boys, POVADs and beyonds.

De fapt, pacea nu există ca şi concept pe planeta Pământ. Unde vezi tu că este pace? Doar în natură există un sentiment de pace şi, chiar şi cu acea pace, există violenţă.

Pacea nu exclude violenţa deoarece pacea este parte din Unitate iar violenţa este şi ea parte din Unitate. Într-un sentiment al păcii există un echilibru al naturii care este un concept care nu există pe această planetă. Rasa umană presupune că toţi trebuie să trăiască, toţi trebuie să aibă pace, nimeni să nu sufere şi toate chestiile astea. Lumea, universul, realitatea sunt aşa? Unde „cumperi" un punct de vedere diferit?

Tot ce ai făcut pentru a „cumpăra" un punct de vedere diferit cu privire la pace, vrei să distrugi şi să decreezi în totalitate, de un dumnezelion de ori? Right and wrong, good and bad, POD and POC, all 9, shorts, boys, POVADs and beyonds.

Pacea este unul dintre lucrurile care ne determină să nu recunoaştem că, de fapt, avem alegere. Dacă spui că lumea ar trebui să fie iubitoare de pace, cu alte cuvinte că nimeni nu ar trebui să sufere vreodată şi că nu ar trebui să existe tristeţe sau nefericire, nu recunoşti faptul că oamenii care experimentează tristeţe sau nefericire, oamenii care trăiesc abuzuri, violenţă şi toate lucrurile acestea, de fapt aleg aceste lucruri. Şi le place!

Dain: E un lucru dificil de acceptat. Nu este neapărat un aspect de care dorim să devenim conştienţi. Ar fi foarte, foarte surprinzător.

Gary: Când vorbești oamenilor despre asta, energia lor face... zing!

Dain: Și energia ta face ziiinnggg!

Ce actualizare fizică a bolii interminabile a păcii nu recunoști a fi perfecțiunea creării iubirii, sexului și geloziei ca reducerea totală și absolută la uitare a rasei omenești? Tot ce este acest lucru, de un dumnezelion de ori, vreți să distrugeți și să decreați în totalitate? Right and wrong, good and bad, POD and POC, all 9, shorts, boys, POVADs and beyonds.

Gary: Uau! Acest proces este unul dintre cele mai bune de până acum! Îmi place!

Dain: Uau!

Participant: Poate e de la sine înțeles dar eu am priceput doar partea cu modul în care acest implant de distragere funcționează și anume, dacă alergi după iubire, sau dacă alergi după pace, sau te obsedează gelozia atunci nu poți fi tu. Nu te poți avea pe tine.

Gary: În realitate, nu poți de fapt să *fii*.

Participant: Exact! Este o fantezie pentru a ne distrage de la noi înșine, pe deplin, pentru totdeauna.

Gary: Da, pentru că atât timp cât crezi că oricare din aceste implanturi de distragere este real, de fapt nu poți fi. Acesta este scopul lor: să te împiedice să fii, pentru că dacă ai putea fi atunci nu ai alege niciuna din chestiile astea. Nu ai vedea nimic valoros la ele.

Este precum tipul care spunea: „Oh, relația mea! O vreau înapoi!"

I-am spus: „Ai renunțat să mai ai o relație cu această femeie acum șase ani. Ai decis că se încheiase. Ai decis că nu o doreai. Ai decis că nu era lucrul potrivit pentru tine. Iar acum încerci să demonstrezi că, deoarece ea pleacă cu altcineva, ție ți s-a făcut o nedreptate și ești victimă. Încerci să dovedești că, de fapt, îți pasă de ceva la care ai renunțat acum șase ani."

Fiecare din aceste implanturi de distragere are rolul să te creeze pe tine ca victimă. Ca ființă infinită poți tu să fii o victimă? Nu. Trebuie să depui eforturi.

Dain: Observați, de asemenea, disponibilitatea lui Gary de a avea această conversație cu tipul respectiv. Câți dintre voi ați fi fost dispuși să spuneți acele lucruri? Cât de total împotriva a tot ce există în această realitate este o astfel de conversație? Dar a fost singurul lucru care ar fi creat claritate în urma acelei situații întrucât despre asta era vorba.

Gary: Era ceea ce era adevărat. Tipul de fapt a râs. A spus: „Dumnezeule, ai dreptate."

I-am zis: „Da, știu. Nu am dreptate dar, de obicei, ce spun e corect." Există o diferență între a avea dreptate și a spune ceva care este corect. *Dreptate* înseamnă că trebuie să existe o greșeală; *corect* înseamnă că oricine altcineva poate avea, de asemenea, un punct de vedere iar ce spui tu să fie în continuare corect.

Tot ce este acest lucru, de un dumnezelion de ori, vrei să distrugi și să decreezi în totalitate, te rog? Right and wrong, good and bad, POD and POC, all 9, shorts, boys, POVADs and beyonds.

Gary: Dain, să rulăm asta încă o dată. Cred că e grozav.

Dain: Da, și eu la fel.

Ce actualizare fizică a bolii interminabile a păcii nu recunoști a fi perfecțiunea creării iubirii, sexului și geloziei ca reducerea totală și absolută la uitare a rasei omenești? Tot ce este acest lucru, de un dumnezelion de ori, vrei să distrugi și să decreezi în totalitate? Right and wrong, good and bad, POD and POC, all 9, shorts, boys, POVADs and beyonds.

Gary: Să schimbăm puțin.

Ce actualizare fizică a bolii interminabile a minciunii păcii nu recunoști a fi perfecțiunea creării și distrugerii simultane a iubirii, sexului și geloziei ca reducerea totală și absolută la uitare a rasei omenești? Tot ce este acest lucru, de un dumnezelion de ori, vrei să distrugi și să decreezi în totalitate? Right and wrong, good and bad, POD and POC, all 9, shorts, boys, POVADs and beyonds.

Dain: Uau. E atât de adevărat. E atât de interesant. În același timp, oamenii creează ceea ce cred ei că este iubire; foarte mulți dintre ei o și distrug. Același lucru e valabil și pentru sex și la fel pentru gelozie.

Gary: Exact.

Dain: Dacă ai oricare din acestea încerci să le și distrugi. Dacă ai partea cu gelozia, încerci să distrugi asta. Dacă nu ai dragostea adecvată, încerci să o distrugi pentru a încerca să ai ceva diferit. Dacă nu ai viața sexuală potrivită, încerci să o distrugi pentru a avea ceva diferit.

Gary: Și în timp ce faci asta, ai și crearea și distrugerea ideii de pace. Nu ai pace cu ideea că doar un moment de sex extraordinar, sau de iubire extraordinară, sau de ceva extraordinar este suficient. Trebuie să ai mereu mai mult.

Dain: Asta deoarece credem minciuna cu privire la timp. Nu ne dăm seama că „Dacă am avut-o o dată încă mai sunt acel lucru și acum.”

Gary: Asta este: „*Sunt* acest lucru” și nu „*Am* acest lucru”.

Dain: Uau! Iar acest lucru ne face să căutăm totul în afara noastră: iubirea, validarea laturii sexuale.

Gary: Să-l căutăm pe *a fi*.

Dain: Propria noastră ființă, da. În loc să ne dăm seama că: „Sunt acest lucru.” Întrucât dacă ești *ceva*, ești *totul*. Întrebarea este: „Ce parte din asta aleg să exprim chiar acum?”

Gary: Și: „Ce parte din asta aleg să nu exprim chiar acum?”

Dain: Exact.

Gary: OK, hai să încercăm încă o dată.

Ce actualizare fizică a bolii interminabile a minciunii păcii nu recunoşti ca fiind perfecţiunea creării şi distrugerii?

Trebuie să o schimbăm încă puţin. Este „a minciunii şi adevărului păcii". Ador asta! Vorbind despre întortocheat! Ai minciuna şi adevărul şi încerci să le trăieşti pe amândouă.

Dain: Şi, în acelaşi timp, ai simultan creare şi distrugere, şi încerci să le trăieşti şi pe ele.

Ce actualizare fizică a bolii interminabile a minciunii şi a adevărului păcii nu recunoşti a fi perfecţiunea creării şi distrugerii simultane a iubirii, sexului şi geloziei ca reducerea totală şi absolută la uitare a rasei omeneşti? Tot ce este acest lucru, de un dumnezelion de ori, vrei să distrugi şi să decreezi în totalitate? Right and wrong, good and bad, POD and POC, all 9, shorts, boys, POVADs and beyonds.

Uau! Sfinte tabbouleh, Batman! Mă întrebam dacă am putea crea un proces care să deblocheze totul. Posibil să-l fi găsit!

Gary: Ar fi amuzant, nu-i aşa?

Ce actualizare fizică a bolii interminabile a minciunii şi a adevărului păcii nu recunoşti a fi perfecţiunea creării şi distrugerii simultane a iubirii, sexului şi geloziei ca reducerea totală şi absolută la uitare a rasei omeneşti? Tot ce este acest lucru, de un dumnezelion de ori, vrei să distrugi şi să decreezi în totalitate? Right and wrong, good and bad, POD and POC, all 9, shorts, boys, POVADs and beyonds.

Pe măsură ce rulăm acest proces am observat că, pentru fiecare din aceste implanturi de distragere, accesăm mai mult din ceea ce ne împiedică să fim. Aici creăm opoziţia faţă de noi înşine, opoziţia faţă de a fi şi a primi şi opoziţia faţă de conştientizarea totală a fiecărui aspect al vieţii şi traiului nostru. Este ca şi când fiecare dintre ele a fost construit la un nivel mai înalt. Mă întreb ce va aduce nivelul următor.

Dain: Uau.

Ce actualizare fizică a bolii interminabile a minciunii și a adevărului
păcii nu recunoști a fi perfecțiunea creării și distrugerii simultane a
iubirii, sexului și geloziei ca reducerea totală și absolută la uitare a rasei
omenești? Tot ce este acest lucru, de un dumnezelion de ori, vrei să
distrugi și să decreezi în totalitate? Right and wrong, good and bad,
POD and POC, all 9, shorts, boys, POVADs and beyonds.

Gary: Dumnezeule, e uluitor!

Participant: Poți să explici cuvântul „uitare"?

Gary: Uitarea este locul în care nimic nu există. Este ideea că poți lua
ceva care există și-l poți pune într-un loc unde nu există nimic. Este ideea
că rasa umană nu există. Dacă funcționăm din ideea că rasa umană nu
poate exista cu adevărat, că de fapt nu există, ce putem crea? Sau suntem
mereu în opoziție cu a crea și a genera ceea ce este posibil, ca humanii și
humanoizii care suntem de fapt? Ajută asta?

Va trebui să asculți asta de vreo 2.700 de ori pentru a pricepe. Înțeleg
acest lucru și-mi pare rău. Aș vrea să pot crea mai multă claritate dar dacă
privești în lume vezi că oamenii funcționează mereu din punctul de vedere
că vor să existe și că nu pot exista. Vor să fie aici dar nu vor să fie aici. Sunt
mereu în opoziție față de ceva anume din lumea lor. Atât de mulți oameni
au fost în opoziție față de o parte din cine sunt și ce sunt ei. Creează asta
un loc unde pot ei fi cine și ce sunt?

Participant: Ajută. Mulțumesc foarte mult.

Gary: Cu plăcere.

*Participant: Pot să înțeleg câte ceva din toate acestea după care vine o parte
la care am nevoie de ajutor. Cum s-ar vedea în lume dacă am fi așa? Să
spunem că te afli în stadiul în care nu ai familie iar cei tineri și-ar dori să
aibă o familie. Ne setează asta într-o paradigmă nou-nouță cu privire la ce
ar fi relațiile astfel încât copiii să crească cu acest lucru?*

Gary: Un lucru care a devenit foarte real pentru mine este acesta: copiii au un punct de vedere diferit față de noi în orice caz. Când m-am căsătorit a doua oară, soția mea avea un băiat de cincisprezece ani. Într-o seară, eram împreună cu el în jacuzzi și am spus: „Așadar, cum se simte să ai o familie adevărată?"

El a spus: „Despre ce vorbești? Am avut întotdeauna o familie adevărată. Sora mea, mama mea și cu mine suntem o familie adevărată."

Mi-am dat seama că ce definim a fi o familie adevărată creează limitele a ceea ce putem avea ca familie. Acesta este implantul de distragere. Noi încercăm în continuare să generăm ciudatul punct de vedere că o familie adevărată înseamnă x, y, z. Ținând seama de ce? Ținând seama de ce am văzut la televizor, ținând seama de ce am citit în cărți, ținând seama de ce este în cărțile de benzi desenate, ținând seama de tot felul de alte lucruri care nu au nimic de-a face cu alegerile noastre și nimic de-a face cu conștientizarea noastră.

Conștientizarea fiului meu vitreg era că el, sora și mama lui erau o familie adevărată pentru că aveau grijă unul de altul, pentru că erau acolo unul pentru celălalt și pentru că erau dispuși să fie unii cu alții fără judecată.

În acel moment mi-am dat seama: „Stai puțin! Definiția mea pentru familie nu este o definiție reală. Este doar definiția mea." În orice aspect al unei relații trebuie să te uiți la:

- Care este definiția mea?

- Care este definiția celeilalte persoane?

- Care este definiția reală?

- Care ar fi o definiție diferită?

În fiecare aspect al vieții noastre am încercat să definim ce este adevărat și real conform perspectivei noastre sau conform perspectivei altcuiva. De exemplu: când eram tânăr și frumos și făceam sex cu toată lumea, punctul meu de vedere era: „Dacă nu sunt cel mai bun partener sexual pe care l-ai putea avea, atunci ar trebui să fii cu altcineva. Dacă e mai bun decât mine, du-te cu el." Nu pricepeam că asta nu era normal. Eu credeam că acesta este punctul de vedere normal pe care l-ar avea cineva cu privire la sex.

După aceea am întâlnit o fată și am avut sex grozav, fabulos și uluitor iar ea mi-a spus: „Te părăsesc."

Am spus: „Poftim?"

A zis: „Sexul este grozav dar eu vreau o relație."

Am spus: „Poftim? Nu pricep despre ce vorbești."

Ea a zis: „Ești mai bun în pat decât tipul ăsta dar el este dispus să-și ia un angajament de viață în fața mea."

Am spus: „Poftim?" Pentru că pentru mine era despre iubire, sex, gelozie și pace. Aveam un sentiment de pace când făceam sex cu ea. Nu aveam asta cu nimeni altcineva. Ea avea un sentiment de pace când făcea sex cu mine, sentiment pe care nu-l avea cu nimeni altcineva dar pentru că asta nu se potrivea cu ideea de relație din această realitate, nu putea exista pentru ea.

Iar pentru mine a fost: „Nu pricep despre ce vorbești."

Nu putea exista pentru că nu era ceva ce ea ar fi putut defini conform punctului de vedere al cuiva, care nici măcar nu trebuia să fie al ei. Și, cu certitudine, nu putea să-l definească potrivit realității ei. Toate aceste implanturi de distragere îți definesc realitatea – nu prin intermediul conștientizării tale, ci al altcuiva.

Dain: Un alt fel de a răspunde la întrebările tale este a pune întrebarea: „Acest lucru va schimba paradigma despre relații care este disponibilă?" Eu aș spune că răspunsul este *da*; există cel puțin o posibilitate. Mulți oameni intră în relații pentru a primi iubirea care cred că le lipsește sau sexul care cred că le lipsește. Cu toate acesta, intră în opoziție pentru că sunt mulți oameni care spun: „Da, mi-ar plăcea sexul și aș dori iubirea dar nu vreau să mă angajez sau să nu fiu liber să fac ce vreau." Ei bine, cum vei obține acest lucru?

În momentul prezent, nu există în această realitate. Şi, de fapt, singurul fel de a avea pacea este de a te avea pe tine în întregime şi de a nu a avea nevoie de cineva. Apoi, poţi fi într-o relaţie sau poţi face sex sau copulaţie cu cineva şi acestea pot fi o contribuţie în viaţa ta. Când te uiţi mereu la realitatea altor oameni pentru a o găsi pe a ta, nu există posibilitatea pentru ca pacea să existe.

Unii din generaţia mai tânără, adolescenţi şi tineri studenţi, aduc acum pe planetă alte paradigme. Ei fac lucrurile diferit iar asta îi face pe mulţi din cei care sunt mai în vârstă să se simtă inconfortabil deoarece cei mai tineri practică relaţia, sexul şi copulaţia fără să includă neapărat grija, afecţiunea sau munca. Ei încearcă ceva diferit, ceea ce înseamnă că ceva se schimbă. Poate că nu suntem deocamdată în acel loc dar cu siguranţă ceva se schimbă pe planetă.

Gary: Deoarece voi participaţi la acest *call* despre implanturile de distragere, şansa ca ceva mai măreţ să apară s-a îmbunătăţit. Vă sunt recunoscător pentru că vă aflaţi în aceste *call*-uri. Şi sunt recunoscător că am decis să susţinem aceste *call*-uri.

Dain:

Ce actualizare fizică a bolii interminabile a minciunii şi adevărului păcii nu recunoşti a fi perfecţiunea creării şi distrugerii simultane a iubirii, sexului şi geloziei, ca reducerea totală şi absolută la uitare a rasei omeneşti? Tot ce este acest lucru, de un dumnezelion de ori, vrei să distrugi şi să decreezi în totalitate? Right and wrong, good and bad, POD and POC, all 9, shorts, boys, POVADs and beyonds.

Participant: Dain, orice ai spus înainte a avut un mare impact asupra mea şi, în acelaşi timp, nu te-am înţeles. A fost ca şi când ai fi vorbit chineza, şi cu toate acestea a fost extrem de profund. M-aş bucura dacă ai putea repeta.

Dain: Mulţumesc. Va trebui să asculţi reluarea.

Gary: De vreo 500 de ori.

Participant: OK.

Dain: Privim din prisma realităților altor oameni pentru a încerca să ne găsim realitatea noastră și a încerca să ne găsim pe noi. Recent am susținut o clasă despre a-ți debloca și a-ți găsi fericirea adevărată care ești. Clasa a avut la bază ceva la care lucram împreună cu Gary. A fost foarte interesant pentru mine pentru că mi-am dat seama că făceam ceva și că aproape toți ceilalți îl făceau și ei. Aveam o întrebare de bază în minte și anume:

- Ce pot fi, care este diferit de mine, pentru a găsi fericirea care sunt eu cu adevărat?

- Ce pot fi, care nu sunt eu, care îmi va permite să găsesc fericirea care sunt eu cu adevărat?

Dar poate să fie și:

- Ce pot fi, care este diferit de mine, pentru a găsi fericirea care sunt eu cu adevărat?

- Ce pot fi, care nu sunt eu, care îmi va permite să găsesc pacea care sunt eu cu adevărat?

Din acest loc au funcționat oamenii. Dacă doar pui aceste întrebări și apoi le faci POC și POD, vei începe să ieși din locul în care încerci să faci acest lucru. Noi deja suntem noi înșine și totuși nu pare că acest lucru funcționează. Din clipa în care am fost concepuți, ne-am uitat la ce am putea fi altceva decât suntem, care ne-ar permite în cele din urmă să fim fericiți și liniștiți aici. Ne pricepem de minune să căutăm prin realitățile altor oameni și să încercăm să le imităm, să încercăm să le copiem dar nu ni se potrivesc și nu funcționează pentru că, singurul lucru care îți va da pacea și fericirea de a fi tu, este a te avea pe tine în întregime, fără nicio judecată.

Gary: Noi credem că pacea este parte din noi. P-a-r-t-e-a nu este p-a-c-e-a.[9] Încercăm în continuare să căutăm partea din noi care lipsește ca și când, atunci când vom avea o relație, vom avea un sentiment de pace și ne vom

---

[9] Joc de cuvinte provenit de la pronunția foarte asemănătoare a celor două cuvinte în limba engleză: piece = parte și peace = pace.

avea pe noi în întregime, având sentimentul de pace pe care îl avem când cealaltă parte din noi începe să apară.

Tot ce este acest lucru, de un dumnezelion de ori, vreți să distrugeți și să decreați în totalitate? Right and wrong, good and bad, POD and POC, all 9, shorts, boys, POVADs and beyonds.

Când am auzit că există implanturi de distragere, am priceput. Spuneam: „OK, acesta este un implant." Și-i făceam POC și POD. Nu mi-am dat seama că majoritatea oamenilor nu funcționează din acest punct de vedere. Ei încearcă mereu să se uite la *de ce* este așa, sau *cum* de este așa, sau *ce* este așa.

Dain: Ei cred că dacă poți înțelege, în cele din urmă nu vei mai face lucrul acela.

Gary: Da.

Dain: Nu. Îți va da doar mai multe motive să te judeci pentru că nu ai schimbat deja acel aspect.

Gary:

Ce actualizare fizică a bolii interminabile a minciunii și adevărului păcii nu recunoști a fi perfecțiunea creării și distrugerii simultane a iubirii, sexului și geloziei, ca reducerea totală și absolută la uitare a rasei omenești? Tot ce este acest lucru, de un dumnezelion de ori, vreți să distrugeț și să decreați în totalitate? Right and wrong, good and bad, POD and POC, all 9, shorts, boys, POVADs and beyonds.

Trebuie să mai adăugăm ceva: „la uitare (...) și anihilarea ființei totale"

Ce actualizare fizică a bolii interminabile a minciunii și adevărului păcii nu recunoști a fi perfecțiunea creării și distrugerii simultane a iubirii, sexului și geloziei, ca reducerea totală și absolută la uitare a rasei omenești și anihilarea ființei? Tot ce este acest lucru, de un dumnezelion de ori, vrei să distrugi și să decreezi în totalitate? Right and wrong, good and bad, POD and POC, all 9, shorts, boys, POVADs and beyonds.

Este ca şi cum încercăm mereu să demonstrăm că facem parte din rasa umană. Şi recurgem la iubire, sex, gelozie şi pace ca un mod de a dovedi acest lucru. Te îndrăgosteşti de cineva aşa că încerci să creezi un sentiment de pace în cadrul structurii vieţii tale bazat pe pacea de a avea cealaltă parte din tine, o bucăţică ce lipseşte.

Încerci să creezi asta şi ajungi într-un loc unde încerci să nu vă despărţiţi. Încerci să menţii gelozia în existenţă. Crezi că dacă poţi menţine în existenţă acel punct de vedere fix, nu se va schimba nimic. Dar totul este un implant de distragere. Este menit, în principal, să te elimine pe tine din *a fi*. Uluitor!

Dain: Genial, dragule, genial!

Gary:

> Oriunde ai crezut rahatul acesta şi tot ce este acest lucru, de un dumnezelion de ori, vrei să distrugi şi să decreezi în totalitate? Right and wrong, good and bad, POD and POC, all 9, shorts, boys, POVADs and beyonds.

> Ce actualizare fizică a bolii interminabile a minciunii şi adevărului păcii nu recunoşti a fi perfecţiunea creării şi distrugerii simultane a iubirii, sexului şi geloziei, ca reducerea totală şi absolută la uitare a rasei omeneşti şi anihilarea fiinţei? Tot ce este acest lucru, de un dumnezelion de ori, vrei să distrugi şi să decreezi în totalitate? Right and wrong, good and bad, POD and POC, all 9, shorts, boys, POVADs and beyonds.

Participant: Ai spus că sexul este atunci când mergi ţanţoş, te simţi bine şi încrezător şi eşti tu în totalitate iar acest lucru se simte minunat. Se pare că eu dau voie ca ceva anume să îşi facă apariţia şi îl deformez sau mă contract. Recurg la judecată sau cred judecata altor oameni. Poţi vorbi despre asta?

Gary: Asta se numeşte extrapolare – şi se mai numeşte implanturi de distragere!

Dain: Fiecare implant de distragere are rolul să te înfăşoare în interiorul sau în jurul altui implant de distragere sau al altui punct limitativ. Este ca o bandă Mobius, dar nu este doar una. Ştii ce este o bandă Mobius? Este simbolul infinitului. Este ca o bandă Mobius făcută din benzi Mobius.

Participant: Da.

Dain: Imaginează-ţi o bandă Mobius făcută din benzi Mobius. Indiferent unde le legi, ea are menirea să te ducă înapoi în banda Mobius a limitării care se creează din chiar implanturile de distragere. Iar motivul pentru care le facem pe toate este că...

Gary: Fiecare contribuie celuilalt. Toate contribuie limitărilor tale. Nu sunt un creator de posibilităţi.

Dain: Duc unul către celălalt. Există o mulţime de practici spirituale şi de autoperfecţionare pe care le-ai făcut în viaţa aceasta sau în alte vieţi iar ele preiau o bucăţică dintr-un scenariu de implant de distragere. De exemplu: câţi oameni cunoşti care sunt foarte interesaţi de iubire? „Iubirea ne va salva. Iubirea ne va elibera. Iubirea este Dumnezeu. Iubirea este cel mai grozav lucru din lume."

Aceşti oameni sunt deconectaţi de la realitate. Îşi doresc ca totul să fie iubire pentru că, într-o viaţă, au aparţinut unui cult sau au creat un cult care spunea: „Iubirea este calea care ne va elibera." Dar, din păcate, deoarece aceste lucruri se reîntorc la ele însele, nu este posibil să creezi libertate din acel loc.

Aşadar, vei întâlni oameni care cred că iubirea este soluţia. Nu este nici pe departe atât de suficient de atotcuprinzător întrucât, de îndată ce obţin claritate în domeniul iubirii — şi, de obicei, nu au claritate, de obicei sunt maeştri la tras concluzii — se lovesc de celelalte implanturi de distragere care îi trimit direct în zonele în care aveau limitări. Se bazează pe iubire sau acum este despre gelozie, sau acum este despre sex. De aceea atât de multe învăţături religioase spirituale sunt de genul: „Dacă vrei să fii cu adevărat spiritual, elimină sexul şi nu te mai bucura de corpul tău." Doar că nici acest lucru nu funcţionează pentru că nu include tot ceea ce eşti.

Căutăm să te ducem într-un loc unde poţi avea libertate cu toate energiile şi posibilităţile care sunt disponibile, în loc să te retragi în spirala care se creează dacă sari în trenul oricăruia din aceste implanturi de distragere. Are sens lucrul acesta?

Participant: Da, mulțumesc. Vreau să fiu capabil să fiu acel sex și acea voioșie și înțeleg că, rulând curățarea și fiind conștient, va permite acest lucru, deoarece chiar mă agăț de judecată.

Gary: Acesta este rolul unui implant de distragere. Este prevăzut să te atragă în judecată, nu în conștientizare. Dacă îți dai seama de acest lucru, atunci când faci sex cu cineva cu care este minunat să faci sex, îți dorești ca toți prietenii tăi să experimenteze și ei această minunăție. Când făceam sex și eram consumator de droguri și rock-and-roll, punctul meu de vedere era: „Cum îi fac și pe prietenii mei să știe cât de grozav este să faci sex cu această persoană?"

Prietenii mei spuneau: „Chiar vrei să fac asta?"

Eu spuneam: „Este fenomenală în pat. Cum să ratezi așa ceva?"

Ei ziceau: „Ești nebun?"

Spuneam: „Ce vrei să spui?"

Mă întrebau: „Vrei să împarți această persoană?"

Spuneam: „Da. Și dacă și tu ești bun aș vrea să te împart și pe tine."

Răspundeau: „Ești bolnav." Și de atunci nu am mai împărțit.

Dain: Asta, din păcate, este același fel de experiență pe care am avut-o mulți dintre noi, oricum ar fi apărut ea, care ne-a determinat să nu mai împărțim și să nu mai fim generozitatea care eram, ceea ce este parte din ce face viața cu adevărat veselă.

Ne-am consumat atât de mult timp și energie diminuând ceea ce era adevărat despre noi, pentru a încerca să facem ceea ce spun aceste implanturi de distragere că e adevărat. Când am început să creștem, ne-am tăiat un deget de la mână, și apoi un deget de la picior, și încă un deget de la picior, și apoi ne-am tăiat o fesă. Și ne minunăm de ce pare că funcționăm cu mai puține capacități decât totalitatea capacităților pe care le avem. Credem că așa trebuie să procedăm și să facem deoarece toți ceilalți par a crede că este adevărat.

Tot ce este acest lucru, de un dumnezelion de ori, vreți să distrugeți și să decreați, vă rog? Right and wrong, good and bad, POD and POC, all 9, shorts, boys, POVADs and beyonds.

Ce actualizare fizică a bolii interminabile a minciunii și adevărului păcii nu recunoști a fi perfecțiunea creării și distrugerii simultane a iubirii, sexului și geloziei, ca reducerea totală și absolută la uitare a rasei omenești și anihilarea ființei? Tot ce este acest lucru, de un dumnezelion de ori, vreți să distrugeți și să decreați în totalitate? Right and wrong, good and bad, POD and POC, all 9, shorts, boys, POVADs and beyonds.

Participant: Îmi devine clar cum funcționează împreună aceste implanturi de distragere. E ca și cum nu ai putea alege unul singur. Sunt toate la un loc. Poți vorbi despre sex și iubire ca implant de distragere? Și poți extrapola puțin mai mult cu privire la energia lui „a te îndrăgosti" și „apoi a face sex" și să fie ca un drog pentru tine?

Dain: În primul *call* despre implanturile de distragere am vorbit despre modul în care furia este, de fapt, potență iar potența este, de fapt, realitatea. Dar, atunci când te aliniezi și ești de acord cu o anumită parte a potenței, furia – care are o vibrație similară dar „doar ușor diferită" – în cele din urmă te „prinde în capcană".

La fel e și cu pacea. Pacea este ceea ce e adevărat pentru tine în mare măsură așa cum și potența este ceea ce e adevărat. Dar, dacă te aliniezi și ești de acord cu orice aspect al ei, te pregătești pentru a fi puternic afectat de implanturile de distragere iubire, sex și gelozie.

Cât despre „ a te îndrăgosti" – cum ar fi dacă asta ar fi cine ești tu, de fapt?

Gary: Ideea de „a se îndrăgosti" este implantul de distragere al acestui lucru. Este ceva în care „cazi"[10]. Nu este ceva de care ești conștient.

---

[10] În limba engleză, a se îndrăgosti = *fall in love* care, în traducere cuvânt cu cuvânt, este „a cădea în dragoste".

Dain: Şi, nu este ceva ce deja eşti sau poţi alege să fii.

Participant: *Da, este ca şi când nu este o stare firească. Ca atunci când o simţi şi e: „Asta este cine sunt eu." Pare că rezonează. Da.*

Dain: În loc de *a fi*, acest implant de distragere îl transformă în *sentiment*. Iar un sentiment este o stare tranzitorie care ştii că va trece. Pe când, dacă este ceva ce *eşti*, nu-ţi poate fi luat niciodată.

Participant: *Ce este energia aceea când eşti plin de iubire şi pur şi simplu trebuie să spui „te iubesc"?*

Dain: Este pentru că eşti atât de plin de iubire? Sau eşti de fapt plin de ceea ce a fost identificat şi aplicat în mod greşit? Ai observat că, ori de câte ori eşti atât de mult, există o pornire nestăvilită de a împărtăşi?

Participant: *Corect!*

Dain: Întotdeauna mi-am dorit să împărtăşesc lucrurile pe care le aflam, conştientizările pe care le aveam şi spaţiile pe care le descopeream a fi disponibile pentru *a fi*, mai ales după ce am început Access Consciousness, dar chiar şi înainte de Access. Aveam o zi minunată alergând pe malul mării şi, indiferent cât de repede alergam, nimic nu mă putea încetini. Făceam sprinturi, mă simţeam extraordinar şi deodată treceam pe lângă cineva care se uita la mine. Aş fi vrut să împărtăşesc această energie cu corpul persoanei, deoarece corpul lor avea foarte puţină. Şi, de îndată ce încercam să împărtăşesc energia, universul meu se contracta la aceeaşi dimensiune cu universul persoanei respective.

Atunci când împărtăşeşti – şi cred că asta este o parte a acestui implant de distragere care apare odată cu iubirea – dacă universul tău este mai spaţios decât cel al persoanei, trebuie să te contracţi la mărimea universului lor care corespunde temei respective pentru a le putea oferi acel lucru.

Asta te scoate din a fi expansivitatea care este mai mare decât de ce sunt ei conştienţi şi te plasează în încercarea de a fi ceva mai mic decât eşti, pentru a le da lor acel lucru. Nu mai eşti cu nimic mai măreţ decât sunt ei. Eşti în afara spaţiului minunat care erai.

Gary:

Tot ce este acest lucru și tot ce a adus la suprafață, de un dumnezelion de ori, vrei să distrugi și să decreezi în totalitate? Right and wrong, good and bad, POD and POC, all 9, shorts, boys, POVADs and beyonds.

Dain: Îmi pare rău pentru relatarea asta lungă.

Participant: Nu, Dain. A fost genial modul în care ai „dansat" cu ea. Poate să acționeze în ambele sensuri? Când recunoști cu adevărat energia care este, se expansionează ea?

Dain: Da, dar într-un loc în care nu e necesar să o împărtășești.

Participant: Doar ești asta. Doar ești ceea ce este?

SENTIMENT

Dain: Oameni buni, vă rog să pricepeți chestia asta. Este extrem de importantă. Majoritatea oamenilor nu-și vor da niciodată voie să o vadă sau să o recunoască. De fiecare dată când spuneți: „Simt că trebuie să împărtășesc acest lucru" sau „Simt că" orice, faceți POC și POD la toate astea și întrebați: „Ce conștientizare am care este mai mare decât acest sentiment?" În fiecare sentiment există o conștientizare pe care nu ești dispus să o ai. Spunem lucrul acesta de doisprezece ani dar nimeni nu vrea să-l audă. Oamenii vor să spună: „Mă simt atât de plin de iubire!" Nu, de fapt, ești conștient că ești ceva care este mai măreț.

Gary: Iată ceva ce mi-ar plăcea să faceți: luați pe cineva la care țineți, cineva la care țineți cu adevărat și faceți acest sentiment intim mai mare decât universul. Este acest sentiment de afecțiune mai măreț decât ați recunoaște de fapt?

Dain: Da.

Gary: Acesta este nivelul de afecțiune și iubire pe care îl aveți de fapt. Tot încercăm să-l reducem la versiunea din această realitate a ce înseamnă iubirea. Aceasta este uitarea și lipsa lui *a fi* din care tot încercăm să creăm.

Dain: Până şi câinii tăi ştiu asta!

Gary: Da!

Participant: Mie mi se pare că atunci când oamenii se îndrăgostesc este, de fapt, despre: „Am găsit răspunsul. Acum nu mai trebuie să caut!" Pare opusul a ceea ce spui tu. Este aproape ca o diminuare.

Gary: Ei bine, dacă te îndrăgosteşti, cazi într-o stare diminuată.

Dain: Şi cazi în concluzie. Lucrul care merge cu asta este o realitate contextuală în care oamenii vor să se integreze, vor să beneficieze, vor să câştige şi vor să nu piardă. A se îndrăgosti corespunde cu toate acestea doar că îţi retează disponibilitatea de a fi orice altceva, orice este mai măreţ decât acest lucru.

Tragi concluzia: „În sfârşit l-am găsit pe ACELA! În sfârşit am găsit răspunsul! În sfârşit, mă integrez; în sfârşit beneficiez. În sfârşit câştig. În sfârşit nu mai sunt un perdant." Încerci să te opreşti acolo, ceea ce te împiedică să mergi înainte. Dar tu, ca fiinţă, ai nevoie să te expansionezi, altminteri te contracţi şi mori.

Cu toţii încercăm să concluzionăm pornind de la această realitate. Spunem: „Oooo, să găsesc un spaţiu plăcut şi pufos şi să mă opresc acolo!" Când faci acest lucru, întotdeauna cazi în mai puţin decât eşti tu cu adevărat.

Într-un fel este precum aspectul legat de sex al acestui implant de distragere. Dacă percepeţi modul în care se simte când flirtaţi cu cineva şi ei flirtează cu voi – sper că toţi ştiţi cum e asta – şi aduceţi această „trăire" în corpul vostru, aceasta este o stare energetică ce ar trebui să fie disponibilă corpului vostru tot timpul. Avem tendinţa să gândim: „Oh, asta este despre altcineva!" sau „Oh, am asta doar când fac sex." Cum ar fi dacă ar putea fi chiar şi mai măreţ, fie că faci sau nu sex sau copulaţie, sau fie că ai pe cineva cu care să copulezi sau nu?

Participant: Asta spuneai mai devreme? Când avem acea experienţă, când avem energia care se află în corpul nostru – de multe ori se întâmplă când ne aflăm în prezența cuiva – o identificăm ca pe ceva pe care îl putem experimenta doar cu altcineva? Spui că odată ce experimentăm acel lucru, suntem acel lucru?

Gary: Dacă trăiești o experiență, nu *ești* acel lucru de fapt. Când cauți experiența a ceva anume, cauți un mod de a valida ceea ce ai decis, concluzionat și confirmat a fi adevărat, care e posibil să nu fie adevărat.

Dain: Singurul motiv pentru care ai putea avea ceea ce numești „experiență" este deoarece *ești* deja acel lucru. Doar pentru că ești acel lucru, poți trăi experiența iar atunci când recurgi la: „Uau, *am această experiență*" în loc de: „Uau, *sunt asta*" te scoți în afara locului în care ești acel lucru și te plasezi în nevoia ca altcineva s-o îndeplinească sau să ți-o aducă.

De asemenea, ajungi să ai nevoie de altcineva, ca și cum dacă nu ai persoana aceea nu vei avea aceste aspecte minunate de a fi și de a fi întrupat pe care le ai acum și pe care le întruchipezi. Are sens ce spun?

Participant: Mulțumesc. Aceasta este o diferență uriașă!

Participant: Când ne aflăm în situații intime, când facem copulație sau sex, cum putem să o facem doar pentru a ne distra? Când căutăm acest lucru în afara noastră, care este valoarea de a face sex cu alți oameni care sunt deja acea energie?

Dain: Tu faci presupunerea: „Dacă pot fi toate acestea, de ce mai am nevoie de altcineva?" Nu e vorba că *ai nevoie* de altcineva. Dacă pot fi toate acestea, am nevoie de un corp! Nu ai nevoie de un corp. Ai creat un corp pentru a te putea juca împreună cu el, a te distra cu el, a te bucura de el și a experimenta lucruri pe care nu le-ai putea experimenta nici pe departe atât de ușor dacă nu ai avea un corp.

Gary: Nu experimentezi și nu te bucuri de el pentru că nu ai un sentiment de pace cu corpul tău. Nu ai un sentiment de iubire și sex. Cunoști gelozia cu corpul tău. Ai toate lucrurile astea pe care crezi că trebuie să le ai pe baza punctelor de vedere ale cui?

Dain: Nu este punctul tău de vedere, este al altcuiva.

Participant: (râzând)

Dain:

> Ce actualizare fizică a bolii interminabile a minciunii și adevărului
> păcii nu recunoști a fi perfecțiunea creării și distrugerii simultane a
> iubirii, sexului și geloziei, ca reducerea totală și absolută la uitare a rasei
> omenești și anihilarea ființei? Tot ce este acest lucru, de un dumnezelion
> de ori, vrei să distrugi și să decreezi în totalitate? Right and wrong, good
> and bad, POD and POC, all 9, shorts, boys, POVADs and beyonds.

*Participant: Sunt multe cursuri și conferințe în întreaga lume care se
concentrează pe a iubi pe toată lumea de pe planetă, pe a răspândi iubire și
așa mai departe. Este această versiune a iubirii un implant de distragere?*

Gary: Întotdeauna este un implant de distragere pentru că dacă te pot face
să te concentrezi pe iubire nu vei observa faptul că te ucid. OK, următoarea
întrebare.

Dain: N-ai vrea să spui mai multe pe tema asta?

Gary: Nu, am spus tot ce vreau să spun.

Participanții: (râzând)

Gary: Ani la rând toată lumea îmi spunea: „Totul este despre iubire, totul
despre iubire, totul despre iubire." A evoluat iubirea? Nu! Atunci cum poate
fi despre iubire dacă iubirea nu a evoluat? Lucrurile nu au devenit mai
bune. Nu a existat o posibilitate diferită în lume. Personal nu am observat
o schimbare sau o transformare majoră cu ea. Așa că, pentru mine, ce
valoare are „Totul este despre iubire"? Este ideea că există ceva mai grozav
decât tine pe care nici măcar nu l-ai observat încă.

Dain: Bine punctat. Există ceva mai grozav decât tine pe care nici măcar
nu l-ai observat încă. Cât de mult din asta se săvârșește asupra ta de
către atât de multe tehnici care există și atât de mulți din oamenii care
spun: „Noi avem răspunsurile corecte. Așa se face."

Dacă există cu adevărat ceva mai măreț decât tine pe care nu l-ai observat încă, când primești conștientizarea că există ceva mai măreț decât tine ce nu ai ales încă să fii, ar trebui să te facă să te simți mai ușor ca în: „Uau, pot fi mai mult!" Chestiile astea nu vin de aici. E mai mult precum: „Există ceva mai măreț ca tine iar tu nu ești acel lucru."

Gary: Îmi place partea cu „tu nu ești acel lucru." Sună atât de bine.

Participant: Se pare că în lume există un punct de vedere generalizat că pentru a evolua trebuie să te afli într-un parteneriat pentru că asta îți va arăta la ce anume trebuie să lucrezi. Și îți poți exersa comunicarea dacă ești într-un parteneriat sau o relație.

Gary: Îți mulțumesc pentru cel mai măreț rahat pe care l-am auzit vreodată în viața mea. Ce parte a ființei tale infinite, dacă nu ai conștientizare infinită, nu recunoști? Îmi pare rău, oameni buni, vă iubesc pe toți dar cumpărați o mare grămadă de rahat cu glazură de ciocolată. Are gust tot de rahat așa că nu-l mâncați. Există un întreg univers unde oamenii spun: „Este asta, este asta, este asta." Tu te concentrezi pe „asta, asta și asta" și cum merge viața ta? Următoarea întrebare.

Participant: Impresia mea este că, cu cât devin mai conștient de mine, cu atât relația mea devine mai fericită – mai ușoară.

Gary: Da, pentru că devine despre posibilitate, alegere, întrebare și contribuție și nu despre ce *ar trebui* să fie. Toate aceste implanturi de distragere au rolul să-ți ofere ceea ce *ar trebui să fie* pentru că vei alege ce *trebuie să fie* și vei eșua și apoi trebuie să treci în judecată de sine. Dacă nu trebuie să te judeci, ce alte alegeri sunt disponibile?

Participant: A existat gelozia mereu în lume? În povestirile istorice se pare că există mereu ceva despre gelozie. Nu există părți din lume sau o generație în care să nu fi fost atât de multă gelozie?

Gary: Nu. A existat întotdeauna gelozie, într-o formă sau alta. Așa cum am spus: gelozia este despre a nu accepta ca lucrurile să se schimbe. Acesta este scopul geloziei: a nu lăsa lucrurile să se schimbe. Este despre a nu avea structura fizică ce ar schimba realitatea cuiva. Asta nu e la fel precum invidia pe care oamenii au identificat-o şi aplicat-o în mod greşit ca gelozie. *Invidia* este a râvni la ce are celălalt. *Gelozia* este: „nu vreau să se schimbe".

Cei mai mulţi dintre noi identificăm şi aplicăm în mod greşit faptul că suntem geloşi când, de fapt, vrem ce are altcineva. Credem că ce au ei ar fi mai amuzant decât ce se pare că avem noi, care este mai puţin amuzant decât ce am avea dacă am fi dispuşi să avem acel ceva.

> Tot ce este acest lucru, de un dumnezelion de ori, vreţi să distrugeţi şi să decreaţi în totalitate? Right and wrong, good and bad, POD and POC, all 9, shorts, boys, POVADs and beyonds.

Participant: Când aveam nouăsprezece ani, i-am cerut mamei să-mi povestească despre sex. A roşit şi nu m-a privit în ochi. Mi-a spus că vom vorbi atunci când mă căsătoresc. Mi-am pierdut virginitatea într-un mod nu foarte blând, cu primul meu prieten care acum este soţul meu. Am urât acel lucru iar sexul nu mi-a făcut plăcere niciodată. Întotdeauna m-am simţit ca un obiect sexual.

Gary: Dacă faci sex din locul care este universul implantului de distragere, nu este niciodată despre a te bucura de corpul tău. Este despre a fi un obiect. Tu priveşti sexul din a fi un obiect şi a avea o judecată legată de sex. Categoric.

> Câte „judecăţi categorice" ai cu privire la sex care te împiedică să te bucuri de corpul tău în totalitate? Tot ce este acest lucru, de un dumnezelion de ori, vrei să distrugi şi să decreezi în totalitate? Right and wrong, good and bad, POD and POC, all 9, shorts, boys, POVADs and beyonds.

Participant: Cum este sexul un implant de distragere? Recunosc că atunci când nu-ţi place sexul, te distrage de la a fi prezent. Dar dacă îl vrei tot timpul sau este ca un drog? Poţi vorbi despre asta?

Dain: Ei bine, aceasta este sexualitatea lucrurilor: este ca un drog care te îndepărtează pe tine de tine. Este acolo unde îl vrei mereu, acolo unde ai nevoie de el mereu. Asta revine la ideea că sexualitatea este un loc unde nu eşti capabil să te primeşti pe tine în întregime. Când sexul devine un drog este: „Oh, uau! M-am simțit atât de bine când am făcut sex cu persoana aceasta! Mă simt atât de bine când am oameni cu care să fac sex! Mă simt atât de bine când ei fac sex cu mine."

Se face apel la *sexualitate* în acel scenariu, și nu la *sexualnețea* (sexualness în limba engleză) care te duce dincolo de implantul de distragere al sexului. Ce anume nu ești în acel scenariu care, dacă ai fi dispus să fii, ar schimba relația ta cu situația respectivă? Te ajută asta?

Participant: Da. Și simt că sunt două lucruri în acțiune precum benzile Mobius sau particulele cuantice.

Gary: Doar dacă tu crezi două lucruri care sunt în opoziție unul față de celălalt te poți pune pe tine în opoziție cu tine însăți.

Participant: Și cum funcționează asta?

Gary: Adevăr, îți place sexul?

Participant: Da.

Gary: Da? Deci ce se va întâmpla? Doar dacă te menții pe tine în opoziție față de tine însăți poți păstra în existență locul în care nu ești capabilă să fii. Toate aceste implanturi de distragere, și partea de dincolo de ele, te fac să crezi că trebuie să le ai și, dacă nu le ai, atunci greșești. Te mențin într-o stare constantă de opoziție față de a fi tu însăți, de fapt. Ție îți place sexul și când cuiva îi place sexul, tu și corpul tău vă excitați?

Participant: Da.

Gary: Da. Majoritatea lumii folosește sexul pentru a crea judecată cu scopul de a-și crea excitarea sexuală care este foarte diferită de aspectul despre care vorbim. Trebuie să ajungi la punctul la care întrebi: „Îmi place sexul? Da sau nu?"

Participant: Da.

Gary: OK. Atunci va trebui să fii excitată de corpul excitat al altcuiva. Asta înseamnă sexul pentru tine. Și dacă cineva nu folosește judecata pentru a crea excitarea sexuală probabil vei descoperi că tu și corpul tău vă veți excita mai mult decât o fac peste nouăzeci și nouă la sută din oameni.

Participant: Da.

Gary: Așadar, vestea bună este că ești doar o târfă.

Participant: (râzând) Bănuiesc că întrebarea mea este legată de a fi prezentă în intensitatea prostituției.

Gary: Da, înțeleg. Spui că dacă intri în aceste implanturi de distragere, simți o greutate și o contractare. Acela este locul în care intri în implantul de distragere în loc să intri în posibilitatea pe care ți-o oferă intensitatea conștientizării.

Participant: Așadar este mai mult despre intensitatea conștientizării care știu că este posibilă?

Gary: Da. Și trebuie să fii dispusă să întrebi: „Este aceasta o intensitate care este expansivă? Sau este aceasta o intensitate care *strânge*?" Dacă *strânge*, este un implant de distragere. Dacă este expansivă, nu este.

Participant: Trebuie doar să mă expansionez.

Gary: Da.

Participant: Grozav.

DEPRESIE

Participant: M-a surprins faptul că tristețea și depresia nu sunt implanturi de distragere. Depresia, mai ales, are o caracteristică a benzii Mobius. Tocmai mi-am revenit dintr-un episod de depresie și mi-am amintit că, uneori, este numită „furie orientată spre interior".

Gary: Este asta un adevăr? Sau este o minciună care este spusă pentru a te face să crezi că depresia este reală pentru tine? De obicei, depresia este conştientizarea pe care o ai despre chestiile altcuiva. Adevăr, ai crescut alături de cineva care era deprimat tot timpul?

Participant: Nu.

Dain: Este asta adevărat?

Gary: Tocmai m-ai mințit.

Participant: Ei bine, mama nu era deprimată tot timpul. A avut o depresie pe care a recunoscut-o mai târziu dar nu şi-a dat seama că este depresie când eram copil.

Gary: Nu, nu a recunoscut-o ca depresie când erai copil. A fost deprimată toată viața ei. Şi probabil că a „cumpărat-o" de la un cunoscut care era deprimat.

Participant: Probabil.

Dain: Ai observat că a devenit mai uşoară când ai spus asta?

Gary: Realitatea este că ai crescut cu cineva care era deprimat şi ţi-ai petrecut toată viața încercând să o îndepărtezi de ea. Da sau nu?

Participant: Nu-mi amintesc acest lucru de fapt, dar îmi iese un da.

Gary: Nu este despre amintire, este despre conştientizarea pe care o ai şi din care să funcţionezi. Când eşti în preajma cuiva care este deprimat iar tu încerci să îndepărtezi asta de ei iar ei nu te lasă, îţi petreci toată viața încercând să preiei depresia altora. Şi nu va funcţiona niciodată.

Tot ce ai făcut pentru a încerca să preiei tristeţea şi depresia altora şi să le faci să fie ale tale, vrei să distrugi şi să decreezi, de un dumnezelion de ori, te rog? Right and wrong, good and bad, POD and POC, all 9, shorts, boys, POVADs and beyonds.

Vreau să pricepi lucrul acesta: tu, practic, eşti fericită. Când iei asupra ta tristeţea şi depresia altor oameni, cum funcţionează asta pentru tine?

Participant: (râzând)

Gary: Asta e posibil să fi fost valabil pentru alți câțiva dintre voi. Probabil că aveți această problemă îngrozitoare și hidoasă numită „practic, sunt fericit".

Oriunde ai avut această problemă, vrei să distrugi și să decreezi în totalitate? Right and wrong, good and bad, POD and POC, all 9, shorts, boys, POVADs and beyonds.

Dain: Oamenii îți vor spune: „Depresia este *furie orientată spre interior*" sau „*este asta și este asta*". Ei nu privesc dintr-un loc al ușurinței de a fi care există de fapt. Privesc din punctul de vedere al acestei realități.

Gary: Ei nu încearcă să pună sub semnul întrebării. Încearcă să ajungă la o concluzie și la un răspuns.

Dain: Ca și când, dacă pot ajunge la concluzia corectă, atunci pot să ajute la schimbarea problemei. Și dacă depresia nu este de fapt o problemă? Dacă, pentru tine, depresia este precum ADD-ul, ADHD-ul, OCD-ul și autismul copiilor cu care lucrăm noi? Noi le spunem că nu este o problemă, este o măreție pe care această realitate nu o recunoaște.

Gary: Dacă ai recunoaște măreția pe care o ai și abilitatea de a fi fericit, atunci ar trebui să fii fericită, efectiv. Așa că renunță la asta.

Dain: Și dacă ar trebui să recunoști că ești mult mai conștientă decât persoanele care îți spun cât ești de ratată asta ar fi foarte rău pentru că, după aceea, nu ar mai trebui să crezi acest lucru.

Participant: Nu-mi spune nimeni că sunt o ratată. Doar eu îmi spun asta.

Gary: Ei bine, asta este partea frumoasă în această privință. Tu îți poți spune acest lucru toată ziua; alte persoane îți pot spune doar o dată pe zi.

ESTE ÎN REGULĂ SĂ FII FERICIT

Participant: Mă trec valuri de greață și simt că aș putea să plâng și nu știu de ce. Poți face o curățare cu mine, te rog?

Gary: Draga mea, draga mea, asta chiar îți aparține?

Participant: *Nu, doar o simt.*

Gary: Doar pentru că o simți nu înseamnă că este reală. Este aceeași problemă îngrozitoare despre care am vorbit la ultima întrebare. Se numește: „tu, de fapt, ești fericită".

Participant: *(râzând)*

Gary: Vestea bună este că, deoarece simți nefericirea altor oameni, tu presupui că trebuie să fie a ta.

Participant: *Ai dreptate, mulțumesc.*

Gary: Cu plăcere.

Voi toți, care încercați în continuare să vă faceți la fel de nefericiți precum sunt toți ceilalți, pentru a fi la fel de nefericiți cât au decis ei că trebuie să fie, pentru a putea fi precum ceilalți oameni, pentru a fi la fel de nefericiți ca ceilalți care cred că e corect să fii nefericit, ca să nu trebuiască să fiți atât de diferiți pe cât sunteți cu adevărat și atât de fericiți tot timpul, când toți ceilalți sunt nefericiți, și ca să nu trebuiască să le spuneți cât sunteți voi de fericiți, vreți să distrugeți și să decreeați în totalitate? Right and wrong, good and bad, POD and POC, all 9, shorts, boys, POVADs and beyonds.

Dain:

Ce actualizare fizică a bolii interminabile a minciunii și adevărului păcii nu recunoști a fi perfecțiunea creării și distrugerii simultane a iubirii, sexului și geloziei, ca reducerea totală și absolută la uitare a rasei omenești și anihilarea ființei? Tot ce este acest lucru, de un dumnezelion de ori, vrei să distrugi și să decreezi în totalitate? Right and wrong, good and bad, POD and POC, all 9, shorts, boys, POVADs and beyonds.

Participant: *Am descoperit că, adesea, humanoizii sunt cei care suferă de depresie. Ei nu știu că e în regulă să fie ei înșiși. Își elimină această parte a lor.*

Gary: Este ca și când ar fi o junglă, și e în regulă să fii fericit.

Participant: Da. Și cum ar fi dacă ai putea fi tu însuți și ai putea alege pentru tine, și să nu trebuiască să te integrezi în viețile lor? Uau, pe bune? OK!

Gary:

Este mult mai amuzant să fii nefericit decât este să fii fericit. Așa trebuie că este, pentru că toți ceilalți o fac. De ce să nu o faci și tu? Tot ce este acest lucru, de un dumnezelion de ori, vrei să distrugi și să decreezi în totalitate? Right and wrong, good and bad, POD and POC, all 9, shorts, boys, POVADs and beyonds.

Dain:

Ce actualizare fizică a bolii interminabile a minciunii și adevărului păcii nu recunoști a fi perfecțiunea creării și distrugerii simultane a iubirii, sexului și geloziei, ca reducerea totală și absolută la uitare a rasei omenești și anihilarea ființei? Tot ce este acest lucru, de un dumnezelion de ori, vrei să distrugi și să decreezi în totalitate? Right and wrong, good and bad, POD and POC, all 9, shorts, boys, POVADs and beyonds.

Participant: Cum pot avea iubirea ca alegere și nu ca necesitate?

Gary: Asta nu este o întrebare. Este o afirmație cu un semn de întrebare atașat la final. Ce ar trebui să întrebi în loc este: „Fac asta din necesitate sau o fac din alegere?" Dacă iubești pe cineva din alegere și nu din necesitate, ar exista o posibilitate diferită în viața ta? Cu siguranță nu... sau poate că ar exista!

Participant: Când sunt sexul și iubirea un implant de distragere și când nu sunt?

Gary: Sex și iubire sunt mereu un implant de distragere pentru că nu e niciodată despre: „Oh, mi-ar plăcea să fac asta" sau „Nu mi-ar plăcea să fac asta?" sau „Ce vreau să obțin din asta?" Că este o alegere. Trebuie să întrebi: „Este asta necesitate sau este o alegere?" „Este o necesitate ca această persoană să mă sune dimineața? Da sau nu?" Nu? OK, bine! „A fost amuzant! Mulțumesc foarte mult. Pe curând, la revedere."

Participant: Cum apare asta şi cum ne scoate din conştientizare? Recent, am întâlnit un tip. Corpul meu pare cu adevărat excitat în preajma lui dar atunci când sunt departe de el nu mă obosesc să rămân în contact.

Gary: Asta se numeşte sex bun. Ai dreptate. Nu-ţi face griji. El este foarte hotărât iar focusul lui este pe aspectul fizic a ce aţi putea fi unul pentru celălalt. Ignoră-l şi bucură-te de sex.

Participant: Poţi vorbi despre situaţia mea specifică şi cum este sau nu un implant de distragere?

Gary: Nu este un implant de distragere dacă doar te bucuri de ea şi nu trebuie să te mai gândeşti la asta. Dacă trebuie să te gândeşti la asta tot timpul, atunci este un implant de distragere. Te rog să pricepi: dacă trebuie să te gândeşti la asta tot timpul, este un implant de distragere. Dacă trebuie să te gândeşti la asta tot timpul, este un implant de distragere. Dacă trebuie să te gândeşti la asta tot timpul, este un implant de distragere.

Dacă trebuie să te gândeşti la asta tot timpul, este un implant de distragere. Iar dacă nu simţi niciun fel de energie, te afli în implantul de distragere.

Participant: Îmi place să fac sex şi nu voi renunţa la el.

Gary: Cine a spus că trebuie?

Dain: Exact.

Participant: Cum să fie sexul parte din viaţa mea fără să fie un factor de distragere?

Gary: Exact aşa cum îl ai. Dacă poţi spune: „Mulţumesc foarte mult! La revedere!" atunci nu faci sex dintr-un implant de distragere.

Tot ce a adus asta la suprafaţă pentru toţi ceilalţi, vreţi să distrugeţi şi să decreaţi în totalitate, de un dumnezelion de ori? Right and wrong, good and bad, POD and POC, all 9, shorts, boys, POVADs and beyonds.

Participant: L-am auzit pe unul dintre voi spunând că există sute de feluri în care o persoană poate iubi pe cineva. Asta m-a ajutat să înţeleg că mama

mea nu avea cum să mă iubească așa cum aveam eu „nevoie" să fiu iubită.
Așa că am căutat asta la alte persoane, am încercat să mă iubesc pe mine,
în principal reducând cât de mult mă judecam pe mine. Mai este și altceva
ce aș putea face?

Gary: Implanturile de distragere creează judecată. Acesta este singurul lor scop. Dacă recurgi la iubire de sine, sex cu sine, pace cu sine, gelozie de sine sau gelozie față de oricine, nu ești cu adevărat. Scopul tuturor implanturilor de distragere este să te împiedice să fii iar iubirea este unul din lucrurile care te împiedică să fii pentru că dacă ai fi, ai avea doar recunoștință, nu ai iubi.

Tot ce este acest lucru, de un dumnezelion de ori, vrei să distrugi și să decreezi în totalitate? Right and wrong, good and bad, POD and POC, all 9, shorts, boys, POVADs and beyonds.

Participant: Eu am un implant de distragere numit „dar". Mă distrage tot
timpul. Ar putea fi „dar" un ajutor pentru distragere?

Gary: „Dar" este o justificare pentru tot ce alegi. Este ce folosești pentru a justifica ce alegi, ca și când, justificând ce alegi, te va conduce la conștientizarea a ceea ce alegi, ca și când ce alegi este corect și „dar" este felul în care ai dreptate și nu greșești niciodată.

Dain: Trebuie să spun ce este evident în acest caz: dacă ai capul atât de adânc în „fund"[11] ar putea să te distragă de la direcția în care mergi.

Participanții: (râsete)

Dain: A fost necesar să spun asta, scuze.

Ce actualizare fizică a bolii interminabile a minciunii și adevărului păcii nu recunoști a fi perfecțiunea creării și distrugerii simultane a iubirii, sexului și geloziei, ca reducerea totală și absolută la uitare a rasei omenești și anihilarea ființei? Tot ce este acest lucru, de un dumnezelion de ori, vrei să distrugi și să decreezi în totalitate? Right and wrong, good and bad, POD and POC, all 9, shorts, boys, POVADs and beyonds.

---

[11] Joc de cuvinte: în engleză, dar = *butt* iar *but* = fund.

Participant: Am observat că, uneori, devin geloasă atunci când soțul meu se uită la alte femei și crede că sunt atrăgătoare. Cum pot schimba acest lucru?

Gary: Când apare asta, du-l imediat acasă și fute-l să-i sară fulgii. Așa schimbi situația.

Dain: Dar, înainte să faci asta, spune: „Asta este ce au recomandat Gary și Dain". După care îi va plăcea și lui de noi.

Participanții: (râsete)

Participant: Aș vrea ca această situație să fie un punct de vedere interesant dar când are loc, mă compar cu cealaltă femeie, și pierd mereu. Mă simt urâtă și nepotrivită, și urăsc femeile care am decis că sunt mai frumoase, mai sexy și mai deștepte.

Gary: Este ceva ce nu pricepi. Soțul tău le folosește pe celelalte femei pentru a se excita. Este un excitator. Dacă vrei să faci ca acest lucru să funcționeze pentru tine, atunci când se excită singur, întreabă: „Ți-ai dori să faci sex cu aceea? Ți-ai dori să faci sex cu aceea? Ți-ai dori să faci sex cu aceea? Ți-ai dori să faci sex cu aceea? Vrei să mergem acasă să facem sex?"

Da, pentru că nu le poate avea pe ele dar deja te are pe tine. El mai degrabă te-ar avea pe tine pentru că deja te are. Fetițo, ești o proastă.

Dain: Mai este un lucru la care ai vrea să te uiți. Poate părea puțin ciudat dar încearcă și vezi dacă poți obține vreo conștientizare. Cât de mult din această situație este că tu ai vrea să faci sex cu femeile la care se uită el dar te simți exclusă? Cu alte cuvinte, există o energie de competiție care se intensifică atunci când nu recunoști că undeva în lumea ta, corpul lor sau cine sunt ele sau cum arată ele este excitant și pentru tine.

Știu că asta poate suna ciudat dar este unul dintre marile aspecte ale sexului ca implant de distragere. Le privești și spui: „Ele au un corp de femeie iar eu nu sunt lesbiană iar asta nu se aplică la mine și nu pot să fac asta, bla-bla-bla."

Ghici ce? În prezența oricui care este atrăgător, care trage energie, care este senzual, corpul tău se va excita.

Gary: Iar dacă nu ești vie, nu te vei excita așa că mai bine te sinucizi.

Dain: Raportul sexual pe care nu vrei să-l ai cu cineva creează unul dintre cele mai mari ziduri și una dintre cele mai mari bariere atunci când nu-ți dai voie să te răsfeți cu el și să îl recunoști. Când te lași în voia a ceva anume, devii conștientă de energia care ar fi creată de alegerea pe care o faci. Vezi dacă e acolo. Încearc-o. Recunoaște că ar putea fi acolo. Apoi întreabă: „Cum ar fi dacă s-ar afla acolo?" Lasă-te în voia ei câteva minute și observă dacă ești dispusă să cobori acele bariere și dacă te simți ca mai mult din cine ești.

Gary: Îmi pare rău că trebuie să spun asta, oameni buni dar timpul a expirat. Nu trebuie să *aveți* iubire, sex, gelozie și pace. Puteți avea în schimb întrebare, alegere, posibilitate și contribuție.

Ce contribuție este implantul de distragere pentru viața ta și ce diminuare a vieții tale este el? Este contribuția pentru diminuarea a cine ești ceea ce vrei să ai cu adevărat? Tot ce este acest lucru, de un dumnezelion de ori, vrei să distrugi și să decreezi în totalitate? Right and wrong, good and bad, POD and POC, all 9, shorts, boys, POVADs and beyonds.

Sper că asta vă ajută pe toți. Vă rog să vă fie clar că aceste implanturi de distragere nu sunt în interesul vostru. Toate au scopul de a vă diminua pe voi și a vă face să vă judecați.

Dacă recurgeți la ceva precum iubire, sex, gelozie sau pace din punctul de vedere al judecății de sine pentru că nu sunteți asta, nu le faceți, nu le aveți sau nu le generați, atunci funcționați din implanturi de distragere. Faceți POC și POD la rahatul acesta și mergeți mai departe.

Dain: În acest *call* v-am oferit o mulțime de lucruri la care să vă gândiți așa că, reascultați înregistrarea pentru că va schimba o mulțime de aspecte pentru voi.

Gary: Și continuați să rulați aceste procese. Puneți-le în buclă!

Capitolul cinci

Viață, a trăi, moarte și realitate

Gary: Bună tuturor. Astăzi vom vorbi despre implanturile de distragere: viață, a trăi, moarte și realitate.

Viață

Viață este ceea cauți continuu pe planeta Pământ ca și când dacă o nimerești, vei avea o viață. Dar iată cum stă treaba cu a încerca să o nimerești: trebuie să fii în judecată non-stop.

> Oriunde ați căutat viața ca și când, dacă ați nimeri-o, atunci ați avea o viață, ca și când asta este ceea ce vreți cu adevărat și va merge așa cum trebuie. Tot ce este acest lucru, de un dumnezelion de ori, vreți să distrugeți și să decreați în totalitate? Right and wrong, good and bad, POD and POC, all 9, shorts, boys, POVADs and beyonds.

După câte se pare, cu toții ați făcut asta destul de bine. Ați încercat să vă găsiți viața prin intermediul a ce e corect și ce e greșit cu ea.

> Ce actualizare fizică a bolii incurabile și eterne a generării, creării și instituirii nu recunoști ca fiind limitarea definitorie a vieții pe planeta Pământ? Tot ce este acest lucru, de un dumnezelion de ori, vreți să distrugeți și să decreați în totalitate? Right and wrong, good and bad, POD and POC, all 9, shorts, boys, POVADs and beyonds.

> Câți dintre voi vă dați seama că, în încercarea de a avea o viață, ați încercat să definiți ce înseamnă a avea o viață, fără a avea nicio idee cu privire la ce înseamnă a avea o viață, în timp ce vă amăgeați că, dacă ați putea-o înțelege, ați ști ce este viața? Dar tot nu ați avea o viață pentru

că, în marea majoritate a timpului, nu vă obosiți să o generați, să o creați sau să o instituiți. Și asta înseamnă realmente viață adevărată și *a trăi.* Ele sunt capacitatea pentru alegeri generative, creative și care se pot institui. Tot ce este acest lucru, de un dumnezelion de ori, vreți să distrugeți și să decreați în totalitate? Right and wrong, good and bad, POD and POC, all 9, shorts, boys, POVADs and beyonds.

Participant: Ce sunt limitările definitorii, Gary?

Gary: *Limitările definitorii* înseamnă a încerca să definești totul. „Voi avea o viață dacă x, y și z". „Voi avea o viață dacă voi avea destui bani". „Voi avea o viață dacă am o relație perfectă". „Voi avea o viață dacă voi avea o relație bună". „Voi avea o viață dacă voi avea orice fel de relație". „Voi avea o viață dacă voi avea o afacere înfloritoare". „Voi avea o viață dacă voi face ce fac toți ceilalți". Sunt toți acei „dacă" pe care îi folosim pentru a încerca să definim ce este o viață, în loc să întrebăm: „Ce alegere, ce întrebare, ce posibilitate și ce contribuție am, cu adevărat, aici?" Acesta este un alt univers.

Participant: Sunt limitările ceva ce definim?

Gary: Da. Pentru a avea o limitare, trebuie să o definim.

Participant: Este pentru prima dată când te aud spunând asta, Gary. Mulțumesc!

Gary: Am spus dintotdeauna că definiția în sine este limitare.

Participant: Este prima oară când aud asta. Are sens pentru că, dacă ai o limitare, de fapt, este o definiție.

Gary: Da. Pentru a avea o limitare de orice fel, trebuie să poți defini ceva. Orice definești devine limitarea pe care nu o poți schimba.

Participant: Întreaga mea viață este formată din limitări! Definițiile a ce cred că poate fi, ar putea fi, nu poate fi, va fi și nu va fi viața mea.

Gary: Da. Și nu are nimic de-a face cu alegerea adevărată.

Ce actualizare fizică a bolii incurabile şi eterne a generării, creării şi instituirii nu recunoşti ca fiind limitarea definitorie a vieţii pe planeta Pământ? Tot ce este acest lucru, de un dumnezelion de ori, vrei să distrugi şi să decreezi în totalitate? Right and wrong, good and bad, POD and POC, all 9, shorts, boys, POVADs and beyonds.

Ce actualizare fizică a bolii incurabile şi ambigue a alegerii, întrebării, posibilităţii şi contribuţiei nu recunoşti ca factorii determinanţi pentru a trăi conform regulilor de a trăi pe planeta Pământ? Tot ce este acest lucru, de un dumnezelion de ori, vrei să distrugi şi să decreezi în totalitate? Right and wrong, good and bad, POD and POC, all 9, shorts, boys, POVADs and beyonds.

Oamenii se definesc printr-o mie de lucruri diferite. Mă aflam în avion azi dimineaţă şi unii oameni spuneau: „Oh, poţi trece înaintea mea."

Am spus: „Nu e necesar să trec înaintea ta. Sunt bine." Mi-am dat seama că mă vedeau ca fiind mai bătrân decât ei astfel că au presupus că trebuia să merg eu primul. Apoi, erau alţi oameni care au decis că dacă veneau de la clasa business, era necesar să o ia înaintea mea. „Scuză-mă, cine te-a făcut Dumnezeu doar pentru că ai fost la clasa business?"

Acestea sunt definiţiile conform cărora oamenii stabilesc ce vor alege în viaţă, ca factori determinaţi pentru viaţă.

Participant: Este viaţa o limitare iar a trăi o energie definitorie, Gary?

Gary: Atunci când defineşti ce anume îţi va crea viaţa, eşti cu adevărat în procesul de generare şi creare?

Participant: Nu.

Gary: Nu. Eşti în procesul de definire care validează limitările pe care le ai. Validează limitările pe care le trăieşti şi nu-ţi dă voie să alegi ceva diferit.

Participant: Mă menţine în oraşul numit Limitare.

Gary: Da. E ca şi cum acolo unde trăim ne dă definiţia clasei noastre sociale — dacă avem o definiţie pentru ce este clasa socială. Avem definiţie pentru maşina pe care o conducem. Toate aceste lucruri sunt factori definitorii pentru a stabili modul în care ne văd alţi oameni, ceea ce nu este în mod necesar adevărat.

Participant: Exact.

Gary: Mie îmi place să locuiesc într-o casă frumoasă şi într-un cartier elegant pentru că este mai uşor. Mai uşor decât ce? Mai uşor decât a trăi în ghetou. De ce? Pentru că în ghetou oamenii au un element definitoriu a ce cred ei că este viaţa şi este totul despre cum trebuie ei să-şi obţină partea înainte ca alţii să pună mâna pe ea. Acesta este un extraordinar nivel de limitare despre care ei presupun că este adevărat.

De ce pot anumiţi oameni să plece din ghetou şi de ce alţii nu pot face asta niciodată? Din cauza elementului definitoriu pe care ei îl numesc *viaţă*.

Participant: Dacă locuieşti într-un cartier frumos este asta în vreun fel o limitare?

Gary: Nu trebuie să fie. Dar nici a locui în ghetou nu trebuie să fie.

Cunosc o doamnă care locuieşte pe un teren de aproximativ o sută de pogoane. Iese din casă şi se aşază pe prispă şi ascultă păsările şi vântul în clopoţei, bucurându-se de ceea ce ea numeşte *viaţa ei frumoasă*. Aceste lucruri şi caii ei reprezintă suma totală a vieţii sale. Nu iese în afara zonei de confort pe care ea a definit-o a fi viaţa pe care şi-a dorit întotdeauna să o aibă.

Dain: Să-ţi dau un alt exemplu.

Când eram copil şi trăiam în ghetou, era o doamnă care reprezenta sursa mea de speranţă. Era mama unui prieten al meu. Era o femeie blândă, grijulie şi frumoasă. Trăia în ghetou, dar ghetoul nu trăia în ea. După şcoală mergeam la ea acasă.

În casa unde locuiam eu, trăiam un abuz îngrozitor. De exemplu, nu aveam voie să mănânc. Ce copil nu are voie să mănânce în propria lui casă? Aşa că, după şcoală, mergeam acasă la prietenul meu iar mama lui îmi dădea să mănânc *tortillas* făcute în casă şi îmi spunea că totul va fi bine.

Când *trăiești* cu adevărat, există elementul definitoriu al vieții și există solicitarea de a trăi indiferent de ce se petrece în jurul tău. Asta este diferența. Această doamnă era un exemplu al acestui lucru. M-a ajutat să pot continua să trăiesc acolo. Nu știu dacă aș fi supraviețuit acolo fără ea.

Gary: Un exemplu grozav, Dain. Câți dintre voi ați definit ce ar trebui să fie viața voastră, dacă ați avea viața pe care v-ar plăcea să o aveți? Și încercați să vă faceți alegerile pe baza definiției vieții pe care ați decis că ați dori să o aveți, care nu are nimic de-a face cu ce se întâmplă în realitate în lume sau în viața voastră?

A TRĂI

Să trecem la *a trăi*. *A trăi* este acțiunea pe care cineva o întreprinde în fiecare moment al fiecărei zile. Punctul de vedere al doamnei care are caii și o sută de pogoane este că ea are viața pe care și-a dorit-o dintotdeauna. Ideea ei de *a trăi* este să plece de la ranch, să facă anumite lucruri care nu au legătură cu ranch-ul. Ea numește asta „momentul în care trăiește".

Ce ai definit ca fiind „momentul în care trăiești"? Tot ce este acest lucru, de un dumnezeion de ori, vrei să distrugi și să decreezi în totalitate? Right and wrong, good and bad, POD and POC, all 9, shorts, boys, POVADs and beyonds.

Voi, oameni buni, aveți o mulțime de definiții cu privire la „momentul în care trăiești". Și „momentul pentru a trăi". Văd oamenii creând definiția: „Când ies la pensie voi putea trăi. Voi putea face tot ce îmi place cu adevărat să fac." Pentru ei, *a trăi* începe atunci când apare pensionarea. Va crea acest lucru *a trăi*-ul pe care îl dorești? Sau există altceva ce este posibil?

Ce actualizare fizică a bolii incurabile și ambigue a alegerii, întrebării, posibilității și contribuției nu recunoști ca factorii determinanți pentru a trăi conform regulilor de a trăi pe planeta Pământ? Tot ce este acest lucru, de un dumnezeion de ori, vrei să distrugi și să decreezi în totalitate? Right and wrong, good and bad, POD and POC, all 9, shorts, boys, POVADs and beyonds.

Dain:

Ce actualizare fizică a bolii incurabile şi ambigue a alegerii, întrebării, posibilităţii şi contribuţiei nu recunoşti ca factorii determinanţi pentru a trăi conform regulilor de a trăi pe planeta Pământ? Tot ce este acest lucru, de un dumnezelion de ori, vrei să distrugi şi să decreezi în totalitate? Right and wrong, good and bad, POD and POC, all 9, shorts, boys, POVADs and beyonds.

Participant: Factorii determinanţi pentru a trăi pe planeta Pământ – poţi, te rog, să detaliezi asta?

Gary: Toată lumea încearcă să-ţi spună cum să-ţi trăieşti viaţa. A trăi este egal cu ce pe planeta Pământ? Nu este egal cu actualizarea alegerii, întrebării sau posibilităţii. Nu este niciodată despre a trăi din întrebare. Este mereu despre a trăi din răspuns. Aceasta este limitarea din care încercăm să funcţionăm. Spunem: „Dacă doar obţin răspunsul corect, dacă doar obţin asta, voi avea viaţa pe care o doresc şi voi trăi aşa cum îmi doresc."

A alege să trăieşti în felul în care îţi doreşti să trăieşti cu adevărat este un univers cu totul diferit.

Participant: Te rog detaliază.

Gary: *Viaţa* este despre realizare. *A trăi* este ceea ce faci pentru a obţine rezultatele pe care doreşti să le ai.

Există un tip de la care cumpăr obiecte din aur. Mi-a telefonat azi şi mi-a spus: „Eşti în oraş? Am nişte chestii bune."

Am spus: „Nu sunt până în data de 17. Le poţi păstra?"

Mi-a răspuns: „Am nevoie de ceva bani."

În ultimele câteva luni am cheltuit mulţi bani cumpărând de la el şi ştiu că acum are la dispoziţie mai mulţi bani lichizi decât a avut vreodată în viaţa lui. Eu sunt destinatarul principal pentru ce vinde el. Şi dintr-un oarecare motiv, era isterizat din cauză că nu mă aflam în oraş ca să cumpăr de la el. Trebuie să găsească un alt fel de a rezolva lucrurile dar în loc să facă asta, s-a îndreptat spre viața pe care și-o dorește. Și-a luat o soție-trofeu astfel încât să aibă pe cineva care să-i gătească, să facă curățenie și să aibă grijă de el. De asemenea, a creat ideea că acum, pentru că-mi vinde mie, poate să trăiască. Așa că trăiește la un standard mai ridicat decât a făcut-o mult timp și, totuși, consideră asta a fi mai puțin decât a trăi în felul în care știe că ar trebui să trăiască. Mai rulezi o dată procesul acela, dr. Dain?

Dain:

Ce actualizare fizică a bolii incurabile și ambigue a alegerii, întrebării, posibilității și contribuției nu recunoști ca factorii determinanți pentru a trăi conform regulilor de a trăi pe planeta Pământ? Tot ce este acest lucru, de un dumnezelion de ori, vrei să distrugi și să decreezi în totalitate? Right and wrong, good and bad, POD and POC, all 9, shorts, boys, POVADs and beyonds.

Participant: Viața și a trăi sunt ambele implanturi de distragere?

Gary: Da, ambele sunt implanturi de distragere pentru că te distrag de la generare, creare și instituire și te distrag de la alegere, întrebare și posibilitate.

Dain: De aceea există atât de puțini oameni care cred că au alegere în orice situație. În esență, este ca și când nu avem alegere deloc. E ca și cum trăim într-un univers lipsit de alegere chiar dacă alegerea este capacitatea noastră cea mai pregnantă.

Participant: Vrei să spui că în alegere nu există „viață" și „a trăi"?

Gary: În alegere există o constantă generare și creare.

Dain: Și în alegere nu există nicio concluzie. Nu există un punct de vedere concluziv cu privire la ce poate fi. Există doar alegere și posibilitățile care ar putea fi, bazate pe întrebarea a ce ar putea fi o contribuție pentru ceva diferit.

MOARTE

Participant: Asta se leagă într-un fel de „moarte" și „a muri", din perspectiva finalizării.

Gary: Asta este ideea. Există finalizare și apoi apare moartea. Iată ceva ce trebuie să pricepi:

- Scopul tuturor întrebărilor este de a crea conștientizare — de a avea mai multă conștientizare.

- Scopul tuturor alegerilor este de a obține conștientizare.

- Alegerea este posibilitatea de a obține conștientizare cu privire la ce se poate întâmpla, de fapt.

- Generarea și crearea sunt despre a privi alegerile, posibilitatea și energia care vor exista ca rezultat a ceea ce alegi.

Participant: Așadar, când oamenii spun: „Singurul lucru pe care te poți baza sunt moartea și impozitele" este ca și cum ar spune că te naști pentru a muri. Te naști într-un implant de distragere.

Gary: Aceasta este regula vieții. Aici, pe planeta Pământ, viața este de la naștere până la moarte. Acesta este considerat ciclul vieții. Așa intri în chestia asta. Moartea devine finalul ciclului acțiunii de a trăi. Trăiești ca să mori.

Participant: Nimeni nu pune asta la îndoială.

Gary: Nu, este ceva de necontestat. Este lucrul pe care toată lumea îl presupune a fi un dat. Este dat că vei trăi și este dat că vei muri. Acestea sunt lucrurile acceptate ale vieții și ale lui *a trăi* pe planeta Pământ. Este regula lui *a trăi* și definiția vieții. Ai definit limitarea vieții, care este că trăiești și ai o viață până când mori. Astfel că moartea devine următorul implant de distragere. Câtă energie este folosită pentru a evita moartea pe planeta Pământ? Multă, puțină sau megatone?

Participanții: Megatone!

Gary:

Tot ce ați făcut pentru a evita acest lucru, vreți să distrugeți și să decreați în totalitate? Right and wrong, good and bad, POD and POC, all 9, shorts, boys, POVADs and beyonds.

Participanții: De ce nu este îmbătrânirea un implant de distragere?

Gary: Este o parte din *a trăi*. Trebuie să îmbătrânești... și să mori.

Participant: Oh!

Dain: Câteva lucruri despre moarte: unul este că există așa o împotrivire față de ea aici. Și, la orice te împotrivești, creezi cu mai multă intensitate. Mulți oameni se împotrivesc morții în timp ce, simultan, o creează împreună cu toată non-alegerea și non-trăirea din care funcționează. Ei aleg moartea în timp ce i se opun. O blochează în ei, în ambele sensuri.

Participant: Ce este boala ambiguă? Poți spune mai multe despre asta?

Gary: Când începi să faci ceva care chiar funcționează pentru tine, oscilezi cu privire la acel lucru sau știi instantaneu că acela este lucrul pe care îl ai? Oscilezi. Oscilezi cu privire la ce poți alege, ca și când dacă alegi greșit, nu vei trăi ci vei muri. Aleg să consum opt milioane de flacoane de suplimente pentru că asta înseamnă a trăi. Oare? Sau este acesta răspunsul unui om pentru ceea ce este? Ajută asta?

Participant: Da. Este atât de insidios. Te cuprinde. Este aproape ca opusul împotrivirii care te cuprinde. A îmbătrâni și a muri și toate astea par a fi ambigue. Este ca și când te îndoiești de posibilitatea vieții nedefinite.

Gary:

Ce actualizare fizică a bolii incurabile și pe deplin corozive și corupătoare a vieții și traiului nedefinit nu recunoști ca elementul distructiv al morții ca singura alegere a realității tale? Tot ce este acest lucru, de un dumnezeulion de ori, vrei să distrugi și să decreezi în totalitate? Right and wrong, good and bad, POD and POC, all 9, shorts, boys, POVADs and beyonds.

Dain:

Ce actualizare fizică a bolii incurabile şi pe deplin corozive şi corupătoare a vieţii şi traiului nedefinit nu recunoşti ca elementul distructiv al morţii ca singura alegere a realităţii tale? Tot ce este acest lucru, de un dumnezelion de ori, vrei să distrugi şi să decreezi în totalitate? Right and wrong, good and bad, POD and POC, all 9, shorts, boys, POVADs and beyonds.

Participant: Gary, pot să fiu avocatul diavolului? Se pare că nu este atât a crede că moartea şi a muri sunt această realitate. Este mai mult ca şi când elementul distructiv este împotrivirea faţă de moarte şi a muri, şi a te preface că acestea două nu există.

Gary: Ei bine, asta ar fi adevărat dacă nu ai încerca să creezi moartea ca o realitate.

Participant: Dar dacă o ignori? Este acolo dar o ignori.

Gary: Asta înseamnă, în continuare, că o vezi ca pe o realitate dar te prefaci că nu există.

Participant: Este precum omul din spatele cortinei?

Gary: Da. Nu e nimeni în spatele cortinei. Nu e nimeni în spatele cortinei dar tu crezi în continuare că este acolo.

REALITATE

Să trecem la realitate.

Ce constituie realitate pe planeta Pământ? Totul, fiecare energie pe care asta a adus-o la suprafaţă, vreţi să distrugeţi şi să decreaţi în totalitate? Right and wrong, good and bad, POD and POC, all 9, shorts, boys, POVADs and beyonds.

Câți dintre voi credeți că trebuie să existe un echilibru pe planeta Pământ? Un echilibru între viață și moarte, un echilibru între pozitiv și negativ, un echilibru al puterii? Nu există. Aceasta este o realitate care îți este impusă. Te menține într-o stare constantă de judecată, îndeosebi o judecată despre ce anume este greșit în ceea ce te privește.

> Tot ce ați făcut pentru a „cumpăra" acest echilibru ca o realitate, vreți să distrugeți și să decreați în totalitate? Right and wrong, good and bad, POD and POC, all 9, shorts, boys, POVADs and beyonds.

Când privești o moleculă, vezi electroni pozitivi și negativi în jurul centrului care este nucleul elementului. Ei sunt sursa a ceea ce creează mișcare în interiorul structurii sistemului moleculei.

Dacă te-ai privi pe tine ca pe nucleul moleculei, și te-ai afla înăuntrul moleculei propriei tale realități, ai recunoaște că de fiecare dată când recurgi la greșeală de sine, acela este momentul în care trebuie să apelezi la puterea elementului pozitiv numit *schimbare*.

Greșeala este elementul negativ. *Schimbarea* este elementul pozitiv. Și, astfel, creezi mișcare.

Fiecare moleculă are mișcare iar tu trebuie să creezi mișcarea în viața ta, care devine viață, care preia acea mișcare ca un trai real. Când ești în mișcare, trăiești. Dar noi am definit a trăi ca: „Ce trebuie să facem? Ce trebuie să fie făcut? Ce facem în afara locurilor unde trebuie să facem ceea ce instituim?"

Adevăratul *a trăi* este mișcare. Mișcare totală. Recunoști că foarte rar ești confortabil fiind tăcut? Rareori ești confortabil neavând ceva în desfășurare tot timpul. De ce? Pentru că în mișcare există o posibilitate diferită.

> Ce actualizare fizică a bolii total limitative, și care structurează concepte, a schimbării adevărate nu recunoști ca perfecțiunea vieții, lui *a trăi*, a morții și a realității patetice și dezgustătoare pe care le alegi? Tot ce este acest lucru, de un dumnezelion de ori, vrei să distrugi și să decreezi în totalitate? Right and wrong, good and bad, POD and POC, all 9, shorts, boys, POVADs and beyonds.

Dain:

Ce actualizare fizică a bolii total limitative, şi care structurează concepte, a mişcării adevărate, motilităţii şi contribuţiei catalitice explozive nu recunoşti ca percepţia vieţii, lui *a trăi*, a morţii şi a realităţii patetice şi dezgustătoare pe care le alegi? Tot ce este acest lucru, de un dumnezelion de ori, vrei să distrugi şi să decreezi în totalitate? Right and wrong, good and bad, POD and POC, all 9, shorts, boys, POVADs and beyonds.

Gary: Au! Hai să o rulăm încă o dată.

Dain:

Ce actualizare fizică a bolii total limitative, şi care structurează concepte, a mişcării adevărate, motilităţii şi contribuţiei catalitice explozive nu recunoşti ca percepţia vieţii, lui *a trăi*, a morţii şi a realităţii patetice şi dezgustătoare pe care le alegi? Tot ce este acest lucru, de un dumnezelion de ori, vrei să distrugi şi să decreezi în totalitate? Right and wrong, good and bad, POD and POC, all 9, shorts, boys, POVADs and beyonds.

Participant: Putem vorbi mai mult despre tipuri de afirmaţii generative în loc de aceste afirmaţii despre cât de oribili suntem şi de ce tâmpenii facem în vieţile noastre?

Gary: Eu nu am spus asta.

Participant: Putem să distrugem mai întâi tâmpeniile?

Gary: Cât de des spui cât de minunată este viaţa ta şi cât de des vorbeşti despre tâmpeniile din viaţa ta?

Participant: Păi, nu am multe tâmpenii deci nu vorbesc despre tâmpenii atât de des.

Gary: Prietenii tăi vorbesc despre aceste tâmpenii tot timpul? Da, vorbesc. Oamenii vorbesc mereu despre tâmpenii. Oamenii vorbesc mereu despre cea mai rea parte a vieţii lor. Nu vorbesc niciodată despre cea mai bună parte a vieţii lor. Ar investi mai mult timp şi mai multă atenţie în aspectele rele decât ar investi în lucrurile bune.

Participant: Ei bine, asta ar fi un da. Sunt de acord că adesea este aşa. Dar nu este aşa pentru toată lumea.

Gary: Încerc să scap de nenorocitele de implanturi de distragere. Nu încerc să fac acest lucru să arate bine pentru tine. Vreau să scap de rahatul care afectează vieţile oamenilor. Apoi trecem la cealaltă parte dar trebuie să trecem mai întâi prin asta.

Dain: Celălalt aspect este că atunci când distrugi limitarea, ceea ce este nelimitat va începe în mod automat să-şi facă apariţia în viaţa ta. Există locuri unde asta funcţionează, chiar dacă nu pricepi la nivel cognitiv. Ajungi în locul în care judeci că ceea ce se petrece este o greşeală sau că este un punct de vedere limitat sau că există un alt mod de abordare. Există ceva aici care se aplică în cazul tău; altfel nu ar exista o încărcătură (energetică) cu privire la asta.

Ar putea fi un loc în lumea ta în care spui: „La naiba, ştii ceva? M-am săturat de faptul că lumea nu este creativă şi generativă!" Ai putea să recunoşti că soliciţi mai multă creare şi generare. Dacă există o încărcătură în această solicitare, atunci are un efect asupra vieţii tale undeva iar rularea procesului, chiar şi în timp ce încărcătura este prezentă, o va schimba.

Participant: Am priceput. Cu alte cuvinte, mă împotrivesc într-un anume fel.

Dain: Da, ceva de genul acesta.

Participant: OK, am priceput. De aceea vorbim despre lucrurile rele.

Gary: Dacă nu vorbeşti despre lucrurile rele, nu vei avea despre ce să vorbeşti pentru că despre asta vor să vorbească majoritatea oamenilor.

Dain:

> Ce actualizare fizică a bolii total limitative, şi care structurează concepte, a adevăratei mişcări, motilităţi şi contribuţii catalitice explozive nu recunoşti ca percepţia şi achiziţia vieţii, lui *a trăi*, a morţii şi a realităţii patetice şi dezgustătoare pe care le alegi? Tot ce este acest lucru, de un dumnezelion de ori, vrei să distrugi şi să decreezi în totalitate? Right and wrong, good and bad, POD and POC, all 9, shorts, boys, POVADs and beyonds.

Gary: Încă o dată, Dain.

Dain:

Ce actualizare fizică a bolii total limitative, şi care structurează concepte, a adevăratei mişcări, motilităţi şi contribuţii catalitice explozive nu recunoşti ca percepţia şi achiziţia vieţii, lui *a trăi*, a morţii şi a realităţii patetice şi dezgustătoare pe care le alegi? Tot ce este acest lucru, de un dumnezelion de ori, vrei să distrugi şi să decreezi în totalitate? Right and wrong, good and bad, POD and POC, all 9, shorts, boys, POVADs and beyonds.

Participant: La începutul acestui proces ai spus că greşeala este negativul iar schimbarea este pozitivul şi mişcarea este a trăi cu adevărat. Ai putea să detaliezi asta pentru mine, te rog?

Gary: Fiecare electron se mişcă şi creează o mişcare care este cea care funcţionează ca element al structurii. Funcţionează ca structura a ceea ce este de fapt posibil în viaţă.

De îndată ce pricepi acest lucru, te uiţi la greşeală. Dacă întrebi: „Ce schimbare este disponibilă aici pe care nu am anticipat-o?" şi te ocupi de asta, poate apărea o posibilitate diferită.

Dain: Asta este o chestie uriaşă. Cred că spui că schimbarea este un loc creativ şi generativ în care să fii. Tocmai am adus asta în discuţie în timpul clasei Nivelul 2[12] din Melbourne. Acest lucru în sine a schimbat foarte mult pentru oameni. Am trecut prin atât de multă schimbare în prima zi iar oamenii au venit în ziua a doua solizi ca o stâncă pentru că au avut extrem de multă schimbare, care a fost polaritatea aspectului pozitiv. Dar apoi au trebuit să creeze tot atât de multă greşeală pentru a echilibra asta, motiv pentru care continui să treci de la schimbare la greşeală.

Te schimbi şi apoi îţi spui „Greşesc" în loc să întrebi: „Ce schimbare este, de fapt, disponibilă aici?" Această întrebare te scoate din – şi este literalmente antidotul pentru – greşeală. Întreabă: „Ce schimbare este disponibilă aici?"

---

[12] Nivelul 2 – fosta denumire a clasei de „Alegere a posibilităţilor" (COP)

şi să ştii că atunci când simţi că greşeşti cel mai tare este atunci când este disponibilă cea mai mare schimbare.

Participant: „Ce schimbare este, de fapt, disponibilă aici?" este o întrebare extraordinară.

Gary: Da. „Ce schimbare este, de fapt, disponibilă şi pe care nu am ales-o?"

Mişcare

Dain: Tocmai am avut o străfulgerare cu privire la subiectul cu pozitivul şi negativul care creează mişcare. Nu este niciodată despre a te bloca doar în pozitiv şi de a evita negativul. Este despre a crea mişcare.

Gary: În 2012, pe măsură ce ne apropiam de „cataclismul terminării calendarului mayaş", oamenii încercau să încetinească lucrurile. Încetineala care îşi făcea apariţia în lume mă uluia la culme. Vedeam oameni care acţionau din ce în ce mai încet. Unde sunteţi, oameni buni? Nu pricepeam ce se petrece. Păreau a crede că se întâmpla un anumit lucru iar eu simţeam diferite posibilităţi. Cum ar fi să creezi stadiul constant al posibilităţilor diferite în loc să crezi că lucrurile trebuie să fie într-un singur fel sau că „Acest unic lucru este singura schimbare care este posibilă?"

Participant: Dacă nu există niciun echilibru, ce altceva este?

Gary: Mişcare! Mişcare!

Participant: Este mişcarea răspunsul la echilibru sau răspunsul la greşeală?

Gary: Ar fi o fiinţă într-un stare constantă de repaus?

Participant: Niciodată.

Gary: Ar fi o fiinţă într-un stare constantă de mişcare?

Participant: Da.

Gary: Când te odihneşti, îţi foloseşti mintea pentru a crea o senzaţie de mişcare.

Participant: Da.

Gary: De fapt, întreaga ta realitate este într-o permanentă stare de mişcare. Când te uiţi la natură, constaţi că nimic nu este total tăcut sau nemişcat. Dacă mergi la plimbare şi te uiţi cu atenţie, vei vedea mii de insecte şi lucruri care se mişcă şi o mulţime de lucruri care se întâmplă. Asta este „diferit"-ul. De ce este diferit? Pentru că apare întotdeauna o stare permanentă de mişcare. Nu există corp în repaus. Nu există aşa ceva în univers. Tu încerci în continuare să creezi o accepţiune cum că trebuie să existe un pozitiv şi un negativ, şi că trebuie să existe repaus, şi că trebuie să existe deplasare. Deplasare şi mişcare nu sunt, neapărat, acelaşi lucru.

Participant: Aşadar, greşeala ar fi o stare de nemişcare sau stagnare?

Gary: Greşeala este modul în care încerci să creezi o stare de nemişcare. Este felul în care încerci să solidifici lucruri din această realitate conceptuală. Încerci să le solidifici. Asta înseamnă că nu se întâmplă nimic.

Când ştii că greşeşti, încerci mereu să demonstrezi că nu o vei face, că nu ai putea-o face, că nu ai vrut să o faci sau că nu vrei să o faci. Încerci să te determini pe tine să te opreşti.

Participant: Aici recurg eu la echilibru în toate. Echilibrarea mişcării cu repausul. Oh, Gary, te iubesc. Simţeam doar că ar trebui să avem mişcare şi repaus.

Gary: Dacă privim structura moleculară a orice, observăm că structurile pozitive şi negative se află într-o stare de continuă mişcare; altfel, lucrul acela nu există sub aceeaşi formă. S-ar putea cataliza ca altceva şi şi-ar schimba forma dar nu-şi poate menţine forma fără mişcarea electrică a electronilor pozitivi şi negativi. Trebuie să existe întotdeauna mişcare în tot.

Participant: Gary, chiar şi în echilibru, chiar dacă eşti pe sfoară sau pe picioroange, te mişti mereu. Asta se întâmplă. Am identificat noi echilibrul în mod greşit?

Gary: Am identificat în mod greşit faptul că acele lucruri înseamnă echilibrare. Nu sunt echilibrare; există o mişcare care contracarează diferitele lucruri care se petrec în jurul tău. Nu echilibrezi nimic. Te mişti pentru a crea! Pentru a crea, tu eşti într-o permanentă stare de mişcare şi, ca fiinţe, suntem cu mult mai creatoare decât credem că suntem. Această permanentă stare de a încerca să echilibrăm este starea constantă de a crede că există un astfel de lucru precum echilibrul. Nu, există o permanentă stare de mişcare în care nu câştigi; în care fie creăm, fie distrugem din mişcarea aceea.

Putem crea, şi putem distruge. Distrugerea nu este chiar un lucru rău. Problema este că noi continuăm să spunem că distrugerea este rea. Distrugerea este doar schimbare în care două lucruri se reunesc într-o anumită ordine, într-un fel atât de violent, eruptiv, catalizator încât o nouă substanţă începe să existe.

Participant: Iar distrugerea nu este acelaşi lucru cu greşeala. Greşeala este stagnantă. Distrugerea este totuşi o mişcare?

Gary: Greşeala este cum încercăm să stagnăm lucrurile.

Acum suntem atât de *prăjiţi* pe cât este posibil. Dar am un proces pe care mi-aş dori să-l rulaţi cu toţii pentru voi înşivă, cât de mult puteţi. Vă rog puneţi-l în buclă pentru ca să-l puteţi asculta continuu în următorii 365 de ani. Asta este contribuţia mea azi.

Participanţii: (râsete)

Participant: Asta este o perioadă scurtă de timp.

Gary: Da. Procesul pentru 365 de ani:

> Ce actualizare fizică a capacităţilor generative şi creative pentru eliberarea de sub toate implanturile de distragere sunteţi acum capabili să generaţi, să creaţi şi să instituiţi? Tot ce nu permite ca acest lucru să apară, de un dumnezelion de ori, vreţi să distrugeţi şi să decreaţi în totalitate? Right and wrong, good and bad, POD and POC, all 9, shorts, boys, POVADs and beyonds.

Ăsta e unul bun.

Participanții: (ovaționând) Da, este grozav!

Gary:

Ce actualizare fizică a capacităților generative și creative pentru eliberarea de sub toate implanturile de distragere sunteți acum capabili să generați, să creați și să instituiți? Tot ce nu permite ca acest lucru să apară, de un dumnezelion de ori, vreți să distrugeți și să decreați în totalitate? Right and wrong, good and bad, POD and POC, all 9, shorts, boys, POVADs and beyonds.

Participant: Poți vorbi despre ce schimbare este disponibilă acum?

Gary: Dacă nu funcționezi din implanturi de distragere, îți poate fi clar cum au fost folosite implanturile de distragere ca o armă pentru a te stagna, într-o formă sau alta. Ele încearcă să creeze senzația că trebuie să trăiești conform realității conceptuale, aici, pe planeta Pământ. Dar nu este necesar să trăiești conform realităților conceptuale ale planetei Pământ. Trebuie ca tu să fii sursa mișcării care schimbă totul.

Gary:

Ce actualizare fizică a capacităților generative și creative pentru eliberarea de sub toate implanturile de distragere sunteți acum capabili să generați, să creați și să instituiți? Libertate deplină față de toate implanturile de distragere. Tot ce este acest lucru, de un dumnezelion de ori, vreți să distrugeți și să decreați în totalitate? Right and wrong, good and bad, POD and POC, all 9, shorts, boys, POVADs and beyonds.

Participant: Din punctul tău de vedere, există ceva care nu este imuabil la acest nivel pe care îl numim realitate fizică? Sau absolut totul poate fi schimbat?

Gary: Totul poate fi schimbat.

Participant: Mulțumesc.

POȚI SĂ LE CREZI SAU POȚI SĂ TE ELIBEREZI DE ELE

Gary: Aceasta este perspectiva mea. Când mi-a fost dată informația cu privire la implanturile de distragere, mă uitam la o situație și spuneam: „Acesta este un implant de distragere. Nu contează, nu voi face asta."

Nu mă duceam în *de ce sunt implanturi de distragere* sau *cum funcționează ele împotriva mea*. Știam doar că ele nu generau ceea ce mă interesa pe mine. Aveam o alegere. Puteam fie să cred în ele, fie să mă eliberez de ele. M-am eliberat de ele de fiecare dată. De fiecare dată când cineva intra în furie, turbare, frică sau ură eu spuneam: „Acesta este un implant de distragere. OK, bine. Ce vrei să spun?"

Persoana spunea: „Poftim?"
Eu întrebam: „Ce vrei să spun?"
Persoana răspundea: „Ce vrei să spui cu *Ce vrei să spun*?"
Ziceam: „Păi, în mod evident vrei ceva de la mine. Ce anume faci cu asta?"
Persoana răspundea: „Poftim?" Și apoi totul se disipa.
Când recurgeau la blamare, rușine, regret și vinovăție, eu spuneam: „Eu sunt de vină".
Ei spuneau: „Dar... dar..."
Eu ziceam: „Eu sunt de vină."
Ei răspundeau: „Nu, nu asta am vrut să spun."
Eu spuneam: „OK, deci ce ai vrut să spui?"
Ei nu puteau explica niciodată.

Am început să mă uit la aceste elemente diferite și la modul în care implanturile de distragere sunt ceea ce sunt. Când alte persoane le făceau, foloseam recunoașterea. Spuneam: „Da, sunt rău, da, în fine" și nu aveam niciun punct de vedere despre asta.

De fiecare dată când nu aveam niciun punct de vedere, de fiecare dată când nu intram în trauma și drama implanturilor de distragere, ele se schimbau. Și totul din jurul meu se schimba, și toți oamenii se schimbau în jurul meu.

Pentru mine, asta era cu mult mai important decât să joc în jocurile acestei realități. De aceea mi-a fost atât de clar că acestea erau doar implanturi de distragere şi de ce-mi păsa mie? Era ciudat să constat că alţi oameni nu puteau sau nu voiau să aleagă asta.

De aceea am mers mai departe şi am creat această serie de *call*-uri — pentru că oamenii trebuie să înţeleagă implanturile de distragere. Dacă începi să înţelegi puţin, nu va trebui să-ţi trăieşti viaţa din limitările din care funcţionează toţi ceilalţi.

Participant: Gary, vrei să spui că, ori de câte ori recunoaştem că intrăm într-un implant de distragere, putem alege ceva diferit?

Gary: Da.

Participant: Spunem doar: „Nu fac chestia asta"?

Gary: „Nu fac chestia asta". Sau spui: „A! Acesta este un implant de distragere." Este ca şi cum mergi la plimbare şi dintr-odată simţi acel miros. Şi spui: „Ce miros scârbos."

Ai întreba: „De unde vine mirosul?" Ai spune: „Oh, tocmai am călcat în rahat de câine. Detest când calc în rahat de câine." Apoi cauţi un furtun şi îl cureţi. Nu te duci în traumă şi dramă din cauza asta, ceea ce sunt menite să facă implanturile de distragere. Ele au rolul să te angreneze în ele atât de mult încât să nu vezi despre ce e vorba.

Dain: Le speli şi mergi mai departe. Faci orice este necesar.

Gary: Te pui în mişcare.

Dain: Un implant de distragere este făcut astfel încât să calci într-o grămadă de rahat de câine şi apoi să începi să faci o ploaie din rahat ca să dovedeşti că tocmai ai călcat în rahat.

Sau, în timp ce încerci să vezi cum să-ţi scoţi piciorul din rahat, pui şi celălalt picior acolo. Încerci să descoperi cum să ieşi, în loc pur şi simplu să-ţi ridici piciorul şi să-l speli. Nu. Doar spală-l şi mergi mai departe.

Îi poți face POC și POD, sau poți alege altceva. Oricare din ele va funcționa. POC și POD este acolo pentru momentele în care nu pari a alege altceva sau atunci când pare că nu-l poți curăța.

Este important să faci alegerea de a merge mai departe. Majoritatea oamenilor, când calcă într-o grămadă de rahat, nu-și mișcă niciodată piciorul. Se întreabă: „Ce fel de rahat este ăsta? Conține porumb? Conține roșii? Ce fel de hrană a mâncat câinele?" și între timp, rahatul se întărește în jurul lor.

Participant: Gary și Dain, puteți da fiecare câte un exemplu despre cum ați fost de acord cu cineva și ați spus: „Ai dreptate, eu sunt de vină?"

Gary: Se reduce la: „Îmi pare rău. Nu ar fi trebuit să fac acel lucru."

Tu știi că ei recurg la blamare, rușine, regret și vinovăție și că vor să intre în trauma și drama care le însoțesc. Vor să petreacă ore întregi vorbind despre cât ești de îngrozitor. Alaltăieri am vorbit cu un tip care mi-a spus că divorțează. A doua zi, mi-a telefonat puștiul lui care mi-a spus: „Părinții mei țipă unul la altul. Ce pot să fac?"

Am spus: „Întreabă-i câți ani au. Se comportă ca niște adolescenți care au fost criticați de prietenul lor, adolescent și el. De fapt, ei nu se comportă ca cineva care are conștientizare."

Puștiul a zis: „Oh."

Se pare că a făcut ce i-am spus. M-a sunat tatăl lui mai târziu și a zis: „Îți mulțumesc foarte mult că l-ai ajutat pe fiul meu. Ne-ai ajutat pe toți. Mi-am dat seama că trebuie să fac ce este mai bine pentru toți. Dacă soția mea mă învinovățește pe mine pentru tot, atunci eu trebuie să zic: <<Ai dreptate. Îmi pare rău.>>"

Implantul de distragere este menit să te distragă de la ce este și, în particular, este menit să distragă de la ce anume este posibil.

Trebuie să fii dispus să folosești orice instrument ai la dispoziție. Și ai instrumente la dispoziție doar dacă nu crezi deloc în implantul de distragere ci, în schimb, îţi dai seama că: „Ah, există un implant de distragere dedesubtul a ceea ce se petrece aici. Este un mod de a mă face vulnerabil şi, prin urmare, să susţin neputinţa persoanei cu care sunt." Niciunul dintre aspecte nu este adevărat.

Dain: Ceea ce ai spus despre modul în care te distrage întotdeauna de la alte posibilităţi este vital. În cazul furiei, am învăţat de la Gary să-mi cobor barierele. Au fost oameni care au început să strige la mine ca nebunii iar eu doar mi-am coborât barierele până la stadiul la care am fost atât de vulnerabil încât am început să plâng. Vorbind despre un fel de a opri. Ei s-au topit, pur şi simplu.

Şi apoi am întrebat: „Ce se întâmplă cu adevărat? Ce este asta?"

Gary: Ţi-l aminteşti pe tipul care ţi-a telefonat pentru că a crezut că te dădeai la soţia lui?

Dain: M-a sunat pentru că a crezut că mă dădeam la soţia lui — şi să vezi furie, mânie, frică şi ură care au fost livrate. „Vin să te omor."

Mi-am coborât toate barierele şi am spus: „Numărul unu: nu mă dau la nevasta ta. Numărul doi: ce pot face ca să te susţin – pentru că e evident că se întâmplă ceva rău. Ce pot face ca să ajut?"

A început să plângă la telefon. Mi-a telefonat mai târziu şi am purtat o conversaţie de o oră. I-a spus soţiei despre asta iar ea mi-a trimis un mesaj text să-mi spună că el a zis: „Aceasta a fost cea mai minunată oră din viaţa mea. A schimbat mai mult în viaţa mea decât am făcut vreodată în cei treizeci de ani de când sunt pe planetă. Spune-i lui Dain că-l iubesc."

Acestea sunt tipurile de posibilităţi care ne sunt disponibile – posibilităţile pe care le avem atunci când suntem noi înşine, când nu lăsăm să ne conducă rahatul de câine în care am călcat. Este atunci când spunem: „Acum îl voi curăţa şi voi alege o posibilitate diferită."

Participant: Atunci când începi să ieşi din implantul de distragere devii mai mult spaţiu? Este cumva: „Sunt atât de mult spaţiu încât nu ştiu să fiu în spaţiul în care mă aflu acum?" Sau este: „Spaţiul a fost mereu amuzant pentru mine?"

Gary: Ei bine, atunci când ajungi în punctul în care eşti dispus să fii acest spaţiu şi nu eşti dispus să te întorci la rahatul cu implanturi de distragere, începi să te simţi puţin desincronizat faţă de restul lumii.

Participant: Da. Aproape că e ca şi cum caut punctul de referinţă al rahatului.

Gary: Da, ştiu dar trebuie să încetezi să mai cauţi punctul de referinţă al rahatului. Trebuie să întrebi: „Ce alegere există aici cu adevărat?"

Când ieşi din implanturile de distragere eşti desincronizat faţă de restul lumii pentru că restul lumii este controlat de implanturile de distragere ca şi când asta este singura alegere care este disponibilă.

Participant: Îţi mulţumesc foarte mult.

Gary: Aceasta este cheia pentru a debloca tot ce a fost o limitare pentru mine. Alaltăieri am vorbit cu sora mea timp de o oră iar ea a vorbit despre ce e bun pentru ea şi ce e bun pentru ea şi nu mi-a pus nici măcar o întrebare. O interesa persoana mea în vreun fel? Nu, nu o interesa ce fac, cum e viaţa mea. Nu voia să ştie nimic din astea. Era interesată doar pentru că eram rude. Pentru mine a fost: „OK, super, dacă asta este pentru tine, atunci asta este pentru tine." Nu trebuie să o fac să mă asculte. Nu trebuie să fiu supărat pe ea. Nu trebuie să o fac să vadă ce vreau eu să vadă. Doar îi dau voie să aibă şi să fie orice alege ea.

Când ieşi din implanturile de distragere încetezi să mai încerci să-i faci pe oameni să vadă punctul tău de vedere. Începi să-i laşi pe oameni să vadă unde sunt şi să fie elementele care sunt dispuşi să fie. Nu ai niciun fel de proiecţii sau aşteptări de la ei. Dar, atât timp cât crezi în implanturile de distragere, ai tendinţa de a face proiecţii şi a avea aşteptări de la ceilalţi.

Participant: Tu spui: „Am greşit. Eu sunt de vină" dar îţi propui să menţii alegerea pe care ai făcut-o. Este necesar ceva mai mult?

Nu te poți agăța de o alegere pe care ai făcut-o

Gary: Nu, nu, nu. Dacă menții alegerea pe care ai făcut-o, este o decizie. Este o judecată. Atunci când creezi alegerea de a-ți face apariția și de a aborda persoana respectivă și locul din care funcționează ea, persoana va începe să se schimbe și apoi trebuie să te schimbi și tu. Nu te poți agăța de o alegere pe care ai făcut-o.

Eu nu m-am agățat niciodată de o alegere pe care am făcut-o. Pot alege să fiu furios dar nu durează. De ce? Deoarece, pe măsură ce persoana respectivă începe să se schimbe, la fel fac și eu. Schimbarea este mișcarea care elimină limitările și lipsa posibilităților. Ajungi să privești dintr-un timp diferit. Eu nu fac o alegere și nu mă agăț apoi de alegere. O alegere este bună doar timp de zece secunde.

Fac o alegere în incremente de zece secunde și ceva începe să se schimbe și apoi fac o alegere nouă – pentru că nimic nu rămâne la fel. Fiecare alegere creează o posibilitate diferită. Fiecare alegere creează o conștientizare diferită. Fiecare întrebare creează o posibilitate diferită și o conștientizare diferită. Începi să recunoști că, de fapt, asta cauți: conștientizare, posibilități, întrebări, alegere și contribuție.

Fiecare persoană este o contribuție la ce se petrece. M-am înfuriat pe oameni și am stat de vorbă cu ei despre faptul că eram furios și enervat și, dintr-odată, s-a schimbat pentru că am fost dispus să recunosc: „OK, credeam într-un implant de distragere. Care este minciuna aici?" Dacă ești blocat într-o minciună trebuie să spui: „Trebuie să schimb asta", „Asta nu funcționează" sau „Ceva e în neregulă aici".

Este un univers cu totul diferit când pricepi că furia există din cauza minciunii și, de îndată ce identifici minciuna, furia începe să se dezintegreze. De exemplu, să spunem că cineva te minte și ești furios pentru că te minte. Apoi, dintr-odată, observi minciuna pe care și-a spus-o sieși iar furia ta dispare iar alegerea și contribuția care poți fi pentru ca persoana respectivă să creeze posibilități diferite devine uluitoare. Totul se schimbă. Asta face ca totul să funcționeze.

Așa stă treaba cu a avea mișcare. Dacă ești în mișcare și o faci dintr-un loc lipsit de implanturi, acea mișcare devine o stare constantă de posibilități, realități, universuri și tot restul care se expansionează. Nu-ți cere deloc să te limitezi sau să te contracți. Și nici nu-ți cere să comprimi pe altcineva.

Participant: Așadar, în ce privește furia, putem întreba care este minciuna iar acest lucru o va ajuta să se disperseze? Și, odată ce ajungi la acea minciună poți spune: „Ah, bine!" și poți renunța la furie. Mai funcționează vreunul din implanturile de distragere în acest fel?

Gary: În ce privește furia trebuie să întrebi: „Este aceasta un implant de distragere sau este asta bazată pe o minciună?" Furia este singurul implant care funcționează așa. Restul nu par a lucra astfel.

Furia este „justificată" și „corectă" atunci când există o minciună – pentru că, atunci când cineva te minte, creează o energie similară cu implantul de distragere. Este *similară* cu implantul de distragere dar este, de fapt, foarte diferită.

Ai văzut vreodată pe cineva furios pe calul său? Bate calul și face tot felul de chestii. În sinea ta poți spune: „Chestia asta nu funcționează. De ce faci asta?" A te înfuria pe un cal care a făcut ceva acum cinci minute nu funcționează. Am lucrat cu o doamnă care călărea și dacă la ieșirea din împrejmuire calul răsturna un gard, îl snopea în bătaie. El habar nu avea de ce mănâncă bătaie. Tot ce se crea în el era o confuzie incredibilă.

Participant: Vrei să spui că există două feluri de furie? Există furie care are la bază o minciună, care este justificată. Apoi, există un implant de distragere, situație în care pur și simplu, nu ai niciun fel de control.

Gary: Da, nu mai ai control și are scopul să te împiedice să vezi ceea ce este. Iar când oamenii nu vor să vadă ceea ce este, chiar și atunci când tu încerci să le explici, sau să le arăți, sau să le vorbești despre minciună, acela este un implant de distragere. Nu le poți arăta nimic în acele condiții. Nu funcționează.

Implanturile de distragere au rolul să te oprească. Sunt făcute să te oprească, să te diminueze, să te contracte și să te facă mai puțin decât ești. Dacă tu crezi orice din astea ca fiind real, justifici de ce vrei să te oprești pe tine, să te contracți și să te faci limitat.

Vă mulțumesc tuturor pentru prezența în acest *call*. Au fost niște *call*-uri uimitoare și sper că vor crea foarte multă schimbare pentru voi toți.

Dain: Gary, îți mulțumesc foarte mult pentru aceste procese și conștientizări nemaipomenite. Sunt foarte recunoscător că am fost prezent în aceste *call*-uri cu voi, oameni buni. Vă ador pe toți. Sunteți extraordinari. Și, ce altceva este posibil acum?

Participant: Vă mulțumesc mult pentru aceste call-uri. Schimbă multe în viața mea.

Participanții: Mulțumim, Gary și Dain. Vă iubim.

Capitolul șase

Frică, îndoială, afaceri și relație

Gary: Bună tuturor! Dr. Dain și cu mine suntem acum în Noua Zeelandă iar Dain este intervievat la televiziune chiar în această clipă. Va veni alături de noi mai târziu, dacă termină la timp.

Astăzi vom vorbi despre implanturile de distragere: frică, îndoială, afaceri și relație. Ceea ce trebuie să pricepeți cu privire la implanturile de distragere este că ele au rolul să vă împiedice să vă uitați la puterea și potența care sunteți. Aceasta este singura lor menire - să nu vă lase niciodată să alegeți să fiți puterea și potența care sunteți.

Frică și îndoială

Frica și îndoiala sunt doar elemente de distragere. *Îndoiala* este ceea ce faci pentru a te opri tu pe tine. De fapt, orice te oprește este un implant de distragere. Cum poți tu ca ființă infinită să fii oprită? Nu poți.

Participant: Să spunem că începi să simți unul dintre implanturile de distragere frică, îndoială sau oricare ar fi...

Gary: Fă-le POC și POD.

Participant: Doar spui: „Nu există" așa că POC și POD?

Gary: Fă POC și POD la implant și la tot ceea ce este menit să facă acel implant de distragere. Spune: „Asta nu mi se întâmplă mie." Când ai o frică legată de ceva anume, fă-i POC și POD.

Apoi, treci de la a face POC și POD la întrebare: „Ce anume nici nu am luat în considerare?"

RELAȚIE

Participant: Am o întrebare despre relație. Noi suntem conectați cu totul, așadar când devine asta o relație?

Gary: *Relație* este definită ca distanța dintre tine și altcineva. Relația este întotdeauna despre distanța dintre două obiecte. Noi suntem într-o relație unul cu celălalt. Luna este în relație cu soarele. Soarele este în relație cu pământul. Relația este distanța care ne menține în mișcare unul în jurul celuilalt fără a fi, de fapt, comuniunea și conexiunea care suntem cu adevărat.

Când abia începi o relație nouă, te uiți la cineva și spui: „Acesta este alesul. Asta e." Ce întrebare e asta? Niciuna. Și de acolo, treci la: „Acum că avem o relație, asta nu poate fi corect și ceva este greșit și trebuie să facem ceva diferit." Serios? Ești sigur?

Odată ce intri într-o relație, odată ce te angajezi față de o relație, renunți la o parte din punctul tău de vedere pentru a păstra acea relație, ca și cum relația este produsul valoros, nu tu. Începi să tai părți și bucățele din tine pentru a menține relația. Asta sunt implanturile de distragere proiectate să facă – să te îndepărteze de la a te alege pe tine și să te pună într-un loc de unde încerci să alegi pentru relație.

AFACERI

Participant: Experimentez niște blocaje în afacere. Tocmai am terminat de calculat impozitele, lucru care a adus la suprafață conștientizarea că nu am fost dispus să-mi generez afacerea pentru că am o împotrivire și o reacție puternică la impozite și audituri. Am punctul de vedere că nu vreau să fac mai mulți bani pentru ca guvernul să nu-mi poată lua banii. Așa îi voi învinge.

Gary: Asta nu este cea mai bună alegere a ta. Acesta este un implant de distragere cu afacerea. Ce ar fi necesar ca să-l schimbi? De fiecare dată când intri într-o relație de afaceri, fă POD și POC la toate implanturile de distragere care există în jurul ei.

Scopul cunoașterii acestor implanturi de distragere este de a fi capabil să folosești informația pentru a te elibera de ele. Cei mai mulți dintre voi încercați să le considerați a fi reale și apoi încercați să vă debarasați de ele. Nu, nu vă debarasați de ele. Vă uitați la ele și spuneți: „Cât de mult din asta este un implant de distragere? POD și POC la toate astea."

Oamenii continuă să se implice în aceste chestii în loc să stea puțin și să spună: „Ah, OK, trebuie că există un implant de distragere aici pentru că lucrul acesta nu funcționează. Dacă ceva nu funcționează în afacerea ta este din cauză că ești blocat într-un implant de distragere. Orice parte a afacerii nu merge bine – fă POD și POC la toate implanturile de distragere care o împiedică să fie de succes. Tu, ca ființă infinită, pentru ce motiv ai alege să ai o afacere care nu funcționează?

La fel este și cu relația ta. De fiecare dată când intri într-o relație, fă POD și POC la toate implanturile de distragere care sunt conectate la ea. Asta se aplică în cazul relației tale cu copiii tăi, al relației tale cu afacerea ta, al relației tale cu părinții tăi, al relației tale cu totul. Trebuie să spui: „POD și POC tuturor implanturilor de distragere conectate la asta."

Când am aflat prima dată despre implanturi de distragere, de fiecare dată când găseam un implant de distragere spuneam: „OK, afacere, toate implanturile de distragere de aici, POD și POC." Apoi întrebam:

- Ca ce anume mi-ar plăcea să-mi creez afacerea?

- Cum mi-ar plăcea să fie ea creată?

- Ce ar fi generativ și creativ?

Implanturile de distragere au rolul să te facă să intri în ceea ce este contractant și să te îndepărtezi de ce este generativ și creativ. Ele sunt despre instituirea realității implanturilor de distragere ca suma totală a ceea ce sunt alegerile tale. Trebuie să alegi diferit. Asta este tot ce trebuie să faci – să alegi diferit. Sper că am făcut asta suficient de succint.

Participant: Am observat că există o mulțime de lucruri pe care le-aș putea institui, crea și genera cu afacerea mea. Nu ar fi dificil. Iar aceste lucruri ar crea mai multă ușurință și fluxuri de bani mai mari. Și cu toate astea, mă împotrivesc să le fac.

Gary: Astea sunt implanturile de distragere. Vezi ce ai putea face iar tu fie amâni, fie nu le faci deloc. Tu, ca humanoid, amâni lucrurile pentru ca să-ți demonstrezi că ești puternic. În cele din urmă, ieși din starea asta și reușești să realizezi totul chiar dacă ai amânat.

Frică, îndoială, afaceri și relație sunt toate menite să te mențină într-un loc unde nu alegi niciodată ceea ce ți-ai dori cu adevărat să ai. Te distragi de la a-ți dori ceea ce îți dorești cu adevărat în viața ta. Cei mai mulți dintre voi nu sunteți dispuși să aveți ceea ce ar trebui să aveți în viața voastră.

Ce actualizare fizică a bolii incurabile și eterne de a avea tot ce ți-ar plăcea și tot ce ți-ai dori nu recunoști ca fiind perfecțiunea și „achiziționarea" implanturilor de distragere, mai ales frica, îndoiala, afacerile și relațiile, ca suma totală a alegerii? Tot ce este acest lucru, de un dumnezelion de ori, vrei să distrugi și să decreezi? Right and wrong, good and bad, POD and POC, all 9, shorts, boys, POVADs and beyonds.

Tu crezi că dacă primești tot ceea ce ceri, dacă primești tot ceea ce ți-ar plăcea să ai și dacă totul ar funcționa pentru tine, atunci viața ar fi prea ușoară. Iar dacă viața ar deveni prea ușoară, ar mai merita ea să fie trăită? Nu. De aceea implantul de distragere *a trăi* este ceea ce este. Tu nu vrei să ai o viață atât de ușoară încât să nu presupună niciun efort. Te gândești că dacă nu presupune efort, nu poate avea valoare. Atât timp cât este dificil de obținut, trăiești. După părerea mea asta nu este chiar corect.

Ce actualizare fizică a bolii incurabile și eterne de a avea tot ce ți-ai dori și tot ce ți-ar plăcea și tot ce nu recunoști ca fiind perfecțiunea și „achiziționarea" implanturilor de distragere frică, îndoială, relație și afaceri, ca suma totală a alegerii tale? Tot ce este acest lucru, de un dumnezelion de ori, vrei să distrugi şi să decreezi? Right and wrong, good and bad, POD and POC, all 9, shorts, boys, POVADs and beyonds.

Participant: Gary, atunci când spui <<achiziţionarea>> te referi la a achiziţiona lucruri, ca în <<a cumpăra lucruri>>?

Gary: Da, a cumpăra ca în <<a accepta ca adevărate>>. Implanturile de distragere nu sunt reale dar tu le crezi pentru că toţi ceilalţi o fac. Presupui că trebuie să fie adevărate şi pentru tine, ceea ce nu e corect. Dar credem acest lucru: devreme ce toţi ceilalţi o fac, trebuie să le credem şi noi. Nu trebuie să <<achiziţionezi>> implanturile de distragere.

Participant: Vrei să detaliezi ce vrei să spui cu „suma totală a alegerii tale"? Vrei să spui că folosesc implanturile de distragere ca alegere a mea?

Gary: Tu crezi că implanturile de distragere sunt acelaşi lucru cu alegerea ta. Ai decis că sunt acelaşi lucru cu alegerea ta. Este ca şi cum încerci să foloseşti implanturile de distragere să lucreze pentru tine – dar ele nu o fac niciodată. De exemplu: cât de des alegi o relaţie care nu-ţi va da tot ce ţi-ar plăcea?

Participant: Tot timpul.

Gary: Da, tot timpul. Cât de des faci afaceri din locul care funcţionează oarecum, dar nu în totalitate? Nu este uşor – există întotdeauna o problemă acolo.

Participant: Nu fac acest lucru atât de mult cu afacerea dar ştiu despre ce vorbeşti.

Gary: Şi totuşi, cu afacerea şi cu banii, ajungi în locuri în care trebuie să faci faţă problemelor?

Participant: Categoric.

Gary: Cum ar fi dacă ai aborda afacerea şi banii din uşurinţă şi nu din probleme?

Participant: Aşadar funcţionez din sau aleg implanturi de distragere?

Gary: Da. Facem acest lucru pentru că toți ceilalți le „cumpără" și, având în vedere că toți ceilalți le dețin, presupunem că trebuie să le deținem și noi.

Participant: *Cum ar fi să nu facem asta? Ce altceva este aici?*

Gary: Trebuie să întrebi:

- Ce altceva este posibil?

- Ce altceva pot alege?

- Ce anume aș vrea să funcționeze cu adevărat în afacerea mea?

Toată lumea face afacere sau relație din locul ciudat al implanturilor de distragere și apoi se întreabă de ce afacerea și relația lor nu funcționează. Divorțează de partenerii lor sau divorțează de partenerii lor de afaceri. Nu rezolvă situația și nu se asigură că partenerul lor de afaceri face și el bani.

Participant: *Exact.*

Gary: Eu mă uit la acest lucru și întreb:

- Cum facem asta să funcționeze?

- Cum facem asta să funcționeze pentru amândoi?

- Cum facem ca asta să fie mai măreață pentru noi toți?

- Cum mă asigur că oamenii aceștia fac la fel de mulți bani ca mine?

Așa ceva nu este normal. Eu sunt șeful, așadar nimeni nu trebuie să facă banii pe care se presupune că îi fac eu – pentru că *afacere* este întotdeauna despre tipul care se află la conducere, tipul care este șeful. Se presupune că tipul care a creat afacerea ia cea mai mare parte din bani și nimeni altcineva nu trebuie nici măcar să se apropie de sumele pe care le ia el. Acesta nu este un punct de vedere conform căruia să fiu dispus să trăiesc.

De ce? Pentru că dacă o fac din punctul de vedere că eu trebuie să iau totul, în cele din urmă toți trebuie să se separe de mine – pentru că banii reprezintă cea mai măreață sursă a creației pentru relația de afacere.

Ai ales vreodată o relație și apoi ai decis că persoana respectivă nu are suficienți bani pentru tine? Sau a trebuit să plătești tu pentru tot, astfel încât un tip să fie gigoloul tău? Acestea creează un loc în care nimic nu poate funcționa. Trebuie să fii dispus să le privești așa cum sunt.

Participant: Deci tu acționezi din Regatul lui Noi?

Gary: Da, exact.

Participant: Eu acționez din Regatul lui Eu?

Gary: Da, tu faci Regatul lui Eu. Tu încerci să creezi o relație care funcționează pentru tine cu o persoană care nu poate funcționa pentru tine, cu o persoană pe care nu o privești ca pe egalul tău sau cu o persoană care nu te va inspira să fii mai măreață. Asta este ce avem tendința să facem în relație. Câți dintre voi ați ales o relație cu cineva care nu v-a inspirat niciodată să fiți mai măreți dar a dorit întotdeauna să fiți mai puțin? Dacă nu credeți că asta vi se aplică atunci sunteți unul dintre puținele miracole de pe planetă.

Tot ce este acest lucru, acesta este implantul de distragere, oameni buni. Distrugeți și decreați? Right and wrong, good and bad, POD and POC, all 9, shorts, boys, POVADs and beyonds.

Participant: Este posibil, din punctul tău de vedere, să ai o relație cu cineva care funcționează total din implanturi de distragere? Sau este ceva ce pur și simplu nu poate funcționa?

Gary: În clipa aceasta încerci să tragi o concluzie, care este exact ceea ce implanturile de distragere sunt menite să facă: să te ducă în concluzie și contracție. Trebuie să pui o întrebare: „Cum funcționez cu această persoană?" și apoi vei ajunge la: „Oh, persoana trăiește cu un implant de distragere. OK, bine. Deci ce trebuie să fac eu?"

Putem să facem POC și POD la tot ce îi face pe ei să creadă că implanturile de distragere sunt bune, reale și valoroase? Da, putem dar de obicei nu o facem. Când sunt cu cineva care e furios, fac POC și POD la tot ce permite existența acelui implant. Fac asta în sinea mea. Ce se întâmplă? Implantul de distragere dispare. Persoana respectivă începe să vorbească incoerent și se oprește. Asta funcționează pentru mine. Trebuie să folosești ceea ce știi despre implanturile de distragere și nu să încerci să te ocupi de ele. Nu ai cum să te ocupi de un implant.

Trebuie să fii cu cineva care este practic disponibil pentru tine. Și nu poți avea pe cineva disponibil pentru tine dacă nu ești dispus să creezi și să generezi dincolo de un implant de distragere. Este vorba despre creare și generare. Să rulăm acest proces încă o dată:

Ce actualizare fizică a bolii incurabile și eterne de a avea tot ce ți-ai dori și tot ce ți-ar plăcea, și tot ce nu recunoști ca fiind perfecțiunea și „achiziționarea" implanturilor de distragere frică, îndoială, afaceri și relații și toate celelalte, ca suma totală a alegerii? Tot ce este acest lucru, de un dumnezelion de ori, vrei să distrugi și să decreezi? Right and wrong, good and bad, POD and POC, all 9, shorts, boys, POVADs and beyonds.

Participant: Dacă există ceva care rulează în mod obsesiv în mintea ta, poți presupune că este, mai mult sau mai puțin, un implant de distragere, chiar dacă nu-l poți integra într-una din categoriile pe care le avem?

Gary: Există lucruri care sunt pe reverberație automată și benzi Mobius. Orice rulează în felul acela în mintea ta este o bandă Mobius. POC și POD tuturor benzilor Mobius care creează acel lucru. Fă asta cu tot ce rulează obsesiv, compulsiv și, desigur, recurgem la puncte de vedere de dependență, compulsive și pervertite...

Dain: Îți recomand *call*-ul numărul trei.

Gary: Dr. Dain nu mai e la televizor!

Dain: Îmi place să-mi încep dimineața la televizor. Ar trebui să facem asta mai des.

Gary: Eu, de obicei, fac asta stând pe televizor. Acesta este felul meu de a-mi începe dimineața la televizor.

Ce actualizare fizică a bolii incurabile și eterne de a avea tot ce ți-ar plăcea și tot ce ți-ai dori nu recunoști a fi perfecțiunea și „achiziționarea" implanturilor de distragere: frică, îndoială, afaceri și relații și toate celelalte, ca suma totală a alegerii? Tot ce este acest lucru, de un dumnezelion de ori, vrei să distrugi și să decreezi? Right and wrong, good and bad, POD and POC, all 9, shorts, boys, POVADs and beyonds.

Participant: Mai devreme ai menționat că relațiile abuzive sunt despre a îndepărta părți din noi iar asta este despre a alege necesitatea implantului de distragere. Îl blocăm în corpul nostru?

Gary: Da, îl blochezi. Este vorba despre tot ceea ce creezi ca necesitate în loc de alegere. Voi, dragilor, faceți *necesitate* mai mult decât *alegere* ca să trebuiască să alegeți același lucru la nesfârșit. De aceea tot încercați să căutați acea alegere singulară care va crea toate alegerile. Acest lucru transformă toată alegerea în necesitate; iar asta este mult mai important pentru voi decât să aveți libertatea de a alege orice vă doriți. De fiecare dată când transformați o alegere în necesitate, o blocați în corpul vostru și vă răniți corpul cu ea deoarece necesitățile sunt preponderent menite să vă ucidă corpul.

Cât de multă necesitate ai blocat în corp pentru a-ți ucide sărmanul, drăguțul, micul tău corp care chiar nu-și dorește să moară? Tot ce este acest lucru, de un dumnezelion de ori, vrei să distrugi și să decreezi în totalitate? Right and wrong, good and bad, POD and POC, all 9, shorts, boys, POVADs and beyonds.

Dain: Ceva a ieșit la suprafață în mod dinamic în legătură cu ceea ce tocmai ai spus, Gary, și este adevărat despre toate implanturile de distragere: le folosim pentru a nu fi măreția noastră. Le facem reale pentru a ne putea integra.

Noi creăm aceste necesități în locul alegerii pentru a demonstra că nu avem mai multă alegere și mai multă capacitate decât oricine altcineva de pe planeta asta. Facem acest lucru în loc să întrebăm: „Ce este diferit în ceea ce mă privește?" și să fim capabili și dispuși să fim asta. Dacă am face acest lucru, totul şi-ar face apariţia cu extrem de multă uşurinţă. Este ca şi cum nu ne dăm voie nouă înşine să avem asta.

Gary: Dain, ai spus acum ceva care a activat o perspectivă cu totul diferită pentru mine. Tocmai mi-am dat seama că aceste implanturi de distragere au scopul precis de a ne împiedica să fim lideri în lume.

Dain: Asta este, absolut.

Gary: Le alegi pentru că nu vrei să trebuiască să ieşi din realitatea normală. Nu vrei să fii un lider care creează un stil de conştiinţă diferit, un stil de realitate diferit şi un fel diferit de planetă. Mai degrabă ai muri în nenorocitele astea de implanturi de distragere, în loc să alegi să fii acel gen de lider.

Tot ce ai făcut pentru a face asta mai reală decât o posibilitate diferită, vrei să distrugi şi să decreezi în totalitate? Right and wrong, good and bad, POD and POC, all 9, shorts, boys, POVADs and beyonds.

Dain: Conştientizarea despre acest lucru mi-a venit azi-dimineaţă, când vorbeam cu tine înainte de interviul meu la televiziune. Anterior, în interviurile televizate pe care le-am avut, ceea ce am făcut a fost să fiu mai mult. Dar azi-dimineaţă m-am trezit şi m-am văitat: „Ah, nu pot fi asta."

Pe măsură ce vorbeam despre asta, am constatat că nu eram dispus să fiu diferenţa care sunt. Practic, nu eram dispus să fiu liderul. În cele din urmă m-am prins şi am zis: „Ştii ceva? Voi fi liderul. Oricum ar arăta asta, voi fi acest lucru." Mi-am dat seama că o foarte lungă perioadă din viaţa mea făcusem exact ce discutam: nu fusesem dispus să fiu liderul iar apoi am observat efectul creat atunci când eram liderul. Este un mod de a fi în lume, cu totul diferit.

Gary:

Câţi dintre voi folosiţi implanturile de distragere pentru a nu fi? Fiecare implant de distragere pe care îl foloseşti pentru a nu trebui, de fapt, să fii, vrei să distrugi şi să decreezi în totalitate, de un dumnezelion de ori? Right and wrong, good and bad, POD and POC, all 9, shorts, boys, POVADs and beyonds.

Participant: Cum poți păși în acea poziție?

Gary: Recunoscând că acestea sunt implanturi de distragere. Acesta este un punct unde trebui să alegi. Trebuie să întrebi: „În această situație, sunt dispus să fiu liderul care creează o realitate diferită?"

Să spunem că familia ta deține o afacere și, dintr-odată, tatăl tău moare iar familia sistează afacerea imediat. Vei încerca să recurgi la implantul de distragere al lui „Oh, Dumnezeule, mă îndoiesc că pot să fac asta" sau „Mi-e teamă că nu o voi putea face" sau „Nu știu să fac afaceri" sau „Abilitățile mele în domeniul afacerilor nu sunt așa grozave" sau „Relația mea cu tata a fost cea care ne-a susținut afacerea" sau „Oh! Acum, relația a dispărut. Ce va funcționa?" Vei avea un moment de: „Oh, Doamne!" cu puțin înainte de a întreba: „De ce naiba sunt eu capabil și nu am ales niciodată?" Pentru că, știți ceva? Nu există vreunul dintre voi care să nu aibă talente la care nu v-ați uitat, pe care nu le-ați ales sau nu le-ați dorit vreodată.

Tot ce vă împiedică să vă uitați la acest lucru – iar ăsta este rolul fiecărui implant de distragere: să vă împiedice să vă uitați la voi înșivă – vreți să distrugeți și să decreați în totalitate? Right and wrong, good and bad, POD and POC, all 9, shorts, boys, POVADs and beyonds.

Dain: Lucrul acesta legat de alegere este aspectul la care încerca Gary să mă facă să mă uit azi-dimineață. A spus vreo douăsprezece lucruri care erau menite să-mi dea oportunitatea sau posibilitatea de a alege pur și simplu și, la început, nu am fost dispus să am acest lucru. În cele din urmă am spus: „Voi alege asta orice-ar fi! Chiar dacă nu știu cum să ajung acolo, chiar dacă nu știu cum arată, chiar dacă nu știu ce e necesar, aleg asta."

Doar după ce am ales am primit conștientizarea cu privire la cum să institui acest lucru. Asta este ce trebuie să pricepeți. Există o mulțime de lucruri pe care nu vă dați voie să le alegeți deoarece credeți că nu știți cum să ajungeți acolo sau nu știți cum să le faceți. Trebuie doar să-l alegeți – iar apoi veți descoperi cum să ajungeți acolo, cum să-l faceți și cum să fiți acel lucru.

Gary: Fiecare implant de distragere are rolul precis de a vă împiedica să alegeți tot ceea ce sunteți. De aceea implanturile de distragere sunt atât de alunecoase, generalizate şi atât de limitative în fiecare aspect al vieţii voastre. Ele nu inspiră posibilitate; ele doar exsudează limitări.

Vrei să faci limitările să transpire? Atunci continuă să faci implanturile de distragere. Vrei să inspiri posibilităţile? De fiecare dată când te întâlneşti cu un implant, fă-i POC şi POD şi creează o întrebare.

Dain: Azi-dimineaţă, când mă pregăteam să apar la televiziune, nu mi-am dat seama că mă aflam fix în mijlocul unui implant de distragere din care alegeam să funcţionez: îndoiala, teama şi toate acestea. De obicei, nu mai funcţionez din teamă – niciodată – şi nu mi-am dat seama că se întâmpla asta.

Îţi sugerez să-ţi notezi în iPad sau să iei o foaie de hârtie şi să scrii fiecare dintre aceste implanturi de distragere. Păstrează notiţa cu tine luna următoare şi, ori de câte ori apare ceva aiurea, aruncă-ţi un ochi pe listă şi fă POC şi POD la toate lucrurile de acolo.

Implanturile de distragere te împiedică să ai uşurinţa, pacea, banii, sexul şi bucuria pe care le cauţi. Sunt, indiscutabil, cei mai importanţi factori care împiedică aceste lucruri să apară.

Gary: Şi este doar o alegere, oameni buni. Oamenii întreabă: „Cum le depăşesc?" Nu e vorba despre cum treci peste ele. Este: „De ce nu mă uit la asta, de ce nu-mi dau seama ce este şi nu mă opresc din a mă preface că nu am nicio alegere?" Faptul că nu ai alegere este un pretext.

Ce actualizare fizică a bolii incurabile şi eterne de a avea tot ce ţi-ar plăcea şi tot ce ţi-ai dori nu recunoşti a fi perfecţiunea şi „achiziţionarea" implanturilor de distragere: frică, îndoială, afaceri şi relaţii şi toate celelalte, ca suma totală a alegerii pe care o ai la dispoziţie? Tot ce este acest lucru, de un dumnezeion de ori, vrei să distrugi şi să decreezi? Right and wrong, good and bad, POD and POC, all 9, shorts, boys, POVADs and beyonds.

Tu foloseşti implanturile de distragere pentru a-ţi crea alegerea. Este ca şi cum ai spune: „Pot să mă duc doar la McDonald's. Doar acolo am voie să merg. Este singurul loc unde mi se dă voie să mănânc aşa că voi merge la McDonald's."

Ai o serie întreagă de posibilități *gourmet* și, în schimb, mănânci la restaurantul fast food al implanturilor de distragere. Dacă vrei să trăiești ca un McDonald's, nu-i nicio problemă dar dacă vrei să mergi la restaurantul *gourmet* al vieții și traiului pe care le-ai putea avea, poate ai vrea să alegi ceva diferit.

Tot ce este acest lucru, de un dumnezeion de ori, vrei să distrugi și să decreezi? Right and wrong, good and bad, POD and POC, all 9, shorts, boys, POVADs and beyonds.

Participant: Dain și Gary – fiecare dintre voi a făcut cererea de a nu funcționa din implanturi de distragere? Cum a fost asta? Care a fost cererea?

Gary: Eu am spus doar: „Ah! Acestea sunt implanturi de distragere. POC și POD. Nu „cumpăr" chestia asta." Tot ce a trebuit să fac a fost să aud că erau implanturi de distragere și că aveau rolul de a mă împiedica să aleg și am spus: „Nu! Asta nu va funcționa pentru mine. Nu o fac. Punct."

Am făcut alegerea. A fost: „Nu voi fi limitat de nimic, mai ales de un nenorocit de implant de distragere." Cererea pe care am făcut-o a fost: „Nu voi fi limitat de nimic. Nu-mi pasă ce se întâmplă în lume – nu voi fi limitat de asta."

Dain: Pentru mine a fost acum doisprezece ani când am spus: „Nu voi mai trăi așa." Asta a deschis ușa. Sunt momente în care pare ușor să alegi ca tine, să alegi pentru tine și să alegi să fii tu însuți, și sunt momente în care pare că și cum nu poți ajunge acolo. În punctul acesta eram eu azi-dimineață. Gary a spus: „Ai putea alege asta, ai putea alege asta" iar eu ziceam: „Pare că nu pot să aleg asta". În cele din urmă, Gary m-a întrebat ceva de genul: „De la ce anume te reții a fi ceea ce ești cu adevărat?"

De fiecare dată când ești într-unul din aceste implanturi unde nu poți alege să fii, te reții de la a fi ceea ce ești cu adevărat sau te ascunzi de ceea ce ești cu adevărat.

Mi-am dat seama că eram conștient de toate aceste universuri ale altor oameni. Agenta mea, care este o doamnă minunată, are punctele ei de vedere cu privire la cum ar trebui să fie lucrurile. Am prieteni care sunt oameni extraordinari şi cu toţii au puncte de vedere despre modul în care ar trebui să stea lucrurile – şi niciunul dintre aceste puncte de vedere nu se potrivea cu expansivitatea realităţii mele atunci când sunt eu însumi. Mi-am dat seama că renunţam la realitatea mea pentru a putea fi o parte din realităţile lor.

Am constatat că a păstra o listă cu implanturile de distragere undeva la îndemână pentru a putea face apel la ea în mod continuu timp de o lună – şi de a face POC şi POD implanturilor de fiecare dată când vreunul dintre ele îşi face apariţia – ne-ar permite să ne eliberăm de ele.

Participant: Asta este o sugestie extraordinară!

Gary: Mai mult decât atât, mai mult decât atât, ai alege să fii pentru tine.

Dain: Da!

Gary: Eu am ales să mă eliberez de ele. Am întrebat: „Cum ar fi să nu-mi conduc afacerea din implant de distragere? Cum ar fi să creez o afacere care de fapt să funcţioneze pentru mine?" Punctul meu de vedere despre bani este că singurul scop al banilor este să schimbe realităţile oamenilor. Aşa că am întrebat: „Cum pot folosi banii pe care îi creez în afacerea mea, şi cum pot folosi afacerea mea, pentru a schimba realităţile oamenilor? Ce altceva este important?"

Dain: Oricare dintre lucrurile care se fac aşa cum se fac în prezent în această realitate — punctul de vedere: „afacere în mod obişnuit" — se face din implanturi de distragere. Afacerile, aşa cum se fac ele acum, aici, pe planeta Pământ, sunt făcute aproape de toată lumea, dintr-un implant de distragere.

Oricând încercăm să luăm un punct de vedere despre afacere, ca un exemplu, sau despre îndoială, unde mă aflam eu azi-dimineaţă – mă îndoiam de mine în mod dinamic – ne bazăm pe ceea ce am învăţat de la implantul de distragere „realitate" din jurul nostru. Se află acolo, în afară, peste tot şi dacă faci alegerea de a merge dincolo de el, vei găsi calea să mergi dincolo de el.

Participant: Am o întrebare despre relație. Fostul meu și cu mine nu am mai locuit împreună de șase ani. De ceva timp intenționăm să divorțăm și cu toate astea nu s-a întâmplat încă. Este un implant de distragere cel care nu permite căsătoriei să se încheie?

Gary: Ei bine, căsătoria s-a încheiat. Ceea ce nu faci este să aplici aspectele legale pentru că este mult mai convenabil pentru amândoi să le spuneți oamenilor: „Îmi pare rău, nu pot să mă întâlnesc cu tine. Încă sunt căsătorit(ă)." Este un fel de a-i ține pe alții în afara lumii tale. Așadar, felicitări, ai făcut o treabă bună în această privință. Este doar o alegere.

Participant: Lucrez pentru afacerea de familie a soțului meu, ca administrator și contabil. Nu este ușor atunci când relațiile personale stau în calea afacerii sau viceversa. Ce putem schimba aici pentru ca acest lucru să fie diferit?

DISTRUGE-ȚI ȘI DECREEAZĂ-ȚI RELAȚIILE

Gary: Întâi de toate, înainte să pleci la serviciu în fiecare zi, distruge și decreează-ți toate relațiile. Distruge și decreează relația cu mama soacră, cu afacerea și cu toți cei care lucrează în afacere. Și întreabă: „Ce pot schimba aici pentru ca acest lucru să fie total diferit?"

Participant: Eu sunt și facilitator de Bars și lucrez cu o prietenă. Suntem conștiente de judecățile noastre reciproce și le facem POC și POD dar nu este ușor pentru mine să fiu partenera ei de afaceri.

Gary: Poate nu vrei să fii parteneră de afaceri cu această persoană. Poate că această persoană nu este cineva cu care e bine să fii în afaceri. Trebuie să fii dispusă să te uiți la acest aspect. De asemenea, trebuie să fii dispusă să te uiți la ce anume va funcționa pentru tine. Eu mă uit mereu la: „Ce va funcționa pentru mine? Ce va face să fie ușor pentru mine?" Observă, te rog, că asta nu e: „Ce trebuie să fie?"

Dacă spui: „OK, asta este *afacere*, este un implant de distragere" și dacă îi faci POC și POD, va fi o realitate diferită pentru tine. Dacă spui: „Asta este *relație*. Este un implant de distragere, POC și POD tuturor implanturilor de distragere conectate cu acesta" va fi o realitate diferită. Dintr-odată vei începe să vezi lucrurile dintr-un loc diferit. Dar trebuie să foloseşti aceste lucruri tot timpul. Începi acolo şi, dintr-odată, vei primi mai multă conştientizare şi vei primi mai multe posibilităţi.

Participant: Frica mea de respingere, de nereuşită şi de a nu-i dezamăgi pe ceilalţi este o creaţie a îndoielii pe care o am faţă de mine, de abilităţile şi de capacităţile mele?

Gary: Nu, nu este. Nu este o creaţie a absolut nimic. Crezi în implanturile de distragere de îndoială şi frică. De fiecare dată când ai îndoială, fă POC şi POD tuturor implanturilor de distragere care o creează.

Asta este tot ce trebuie să faceţi, oameni buni. Voi încercaţi în continuare să consideraţi acest lucru ca fiind dificil. Spuneţi: „Vreau să-mi controlez frica." Nu, nu vrei să-ţi controlezi frica. Vrei să faci POC şi POD tuturor implanturilor de distragere. Nu ai niciun fel de frică.

Dain: Nu poţi controla ceva ce nu este real şi pe care nu-l ai. Cu toate acestea, poţi să alegi drumul uşor. Fă naibii POC şi POD şi nu-ţi mai face griji pentru asta. De aceea spun:

- Fă o listă cu toate implanturile de distragere.

- Ţine lista în buzunar.

- Ia-o cu tine pretutindeni.

- Uită-te la listă tot timpul pentru a vedea dacă faci vreun implant de distragere. Dacă îl faci, fă-i POC şi POD.

Când faci aceste lucruri, vei începe să-ţi dai seama că ceea ce ai crezut a fi: „Fac ceva greşit" este, de fapt, îndoială. Ce credeai că este acest lucru apăsător peste care nu puteai trece este, de fapt, frică. Pe măsură ce începi să faci POC şi POD la implanturile de distragere, vei începe să le recunoşti ca ceea ce sunt. Uneori trebuie ca ceva să dispară înainte să-l poţi vedea clar; apoi te poţi uita la ce a fost şi poţi vedea ce a fost cu adevărat. Cei mai mulţi dintre noi am fost învăţaţi că dacă putem descifra ce este, putem să-l facem să dispară. Asta înseamnă să pui carul înaintea boilor. Fă-i POC şi POD şi, pe măsură ce dispare, vei descoperi ce a fost şi nu-l vei mai alege – decât dacă te distrează mult să-l alegi.

Participant: Îndoiala pare a fi justificarea mea preferată pentru a nu alege vreodată să acţionez. Când voi începe să creez din dumnezelionul de idei pe care îl am? Până să începem aceste call-uri, nu mi-am dat seama cât de mult făceam acest lucru. Acum, pare că îndoiala este peste tot în universul meu. Aşadar, ce altceva este posibil?

Gary: Întreabă: „Dacă renunţ la dependenţa mea de îndoială, ce alte posibilităţi, talente şi alte chestii pe care nici măcar nu le-am luat în considerare ar fi disponibile pentru mine?" Aceasta este întrebarea cu care trebuie să trăiţi, oameni buni, pentru că asta este ce vă este disponibil dacă încetaţi a mai crede aceste lucruri şi încetaţi să le mai alegeţi.

Am aici o întrebare de la o doamnă cu privire la fiul său. Copilul are doi ani şi îi apasă butoanele în mod constant. Cea mai mare parte din timp, ea îl urăşte. De fiecare dată când copilul tău face ceva care te înfurie, spune: „POC şi POD la toate implanturile de distragere care creează asta în lumea lui şi în lumea mea."

Având în vedere că puştiului nu-i place să fie atins pe cap, sună ca şi când ar fi puţin autist. Copiii autişti ţi se vor opune mereu. Ai putea vorbi cu Anne Maxwell. O găseşti online. Îţi poate da nişte sugestii cu privire la modul în care să-i faci faţă fiului tău mai uşor. Dar aspectul principal este de a face POC şi POD tuturor implanturilor de distragere care creează tot ce se întâmplă cu el în fiecare zi. Poţi, de asemenea, să faci POC şi POD la tot ce a fost relaţia ta cu el ieri. Distruge şi decreează relaţia în fiecare zi pentru ca să o iei de la zero în fiecare zi, pentru că amândoi funcţionaţi din aceste implanturi.

Dain: Unul din lucrurile pe care le-a spus în întrebarea ei iar Gary nu l-a menţionat a fost: „Am fost în Access şi apoi am plecat chiar după ce am rămas însărcinată". Ar ajuta (sau nu) să-l întrebi pe fiul tău: „Eşti supărat pe mine pentru că am oprit Access? Ai venit la mine ca să mă determini să fac Access? Şi, din punctul tău de vedere, am făcut o prostie plecând?"

Dacă da, atunci spune: „Îmi pare rău. Nu mi-am dat seama că stricam lucrurile pentru tine. Aveam propriile mele chestii. Cum mă pot revanşa pentru prejudiciul creat? Mă ierţi, te rog?" POC şi POD la tot din lumea lui care e: „Prostuţo! Am venit la tine pentru ca eu să pot face Access iar apoi tu ai plecat chiar înainte de a mă naşte. Te urăsc, te urăsc, te urăsc" care, apropo, este un implant de distragere.

Gary: E posibil ca el să fie unul dintre motivele pentru care revii la Access acum, pentru că el doreşte orice ar fi ce i-ar putea oferi Access.

Dain: Poate că el e frustrat şi supărat pentru că tu ai punctul de vedere că dacă el nu s-ar fi fost născut, tu nu te-ai fi reîntors pe calea conştiinţei. Poate că era ceva ce el încerca să-ţi ofere şi să facă pentru tine. Şi ar putea fi o invalidare a însăşi fiinţei sale faptul că tu nu te-ai aflat în locul în care să primeşti Access la acea vreme.

Gary: Întreabă-l despre acest lucru atunci când doarme; nu-l întreba când e treaz.

Dain: Da, întreabă-l când doarme şi apoi fă POC şi POD inclusiv la tot ce te judeci pe tine cu privire la acest lucru, astfel încât să poţi începe dintr-un loc cu totul diferit.

Gary: Sper că acest lucru te ajută.

Participant: Mă îndoiesc de mine. Mult timp am avut foarte puţină stimă de sine iar acest lucru s-a schimbat şi s-a îmbunătăţit. Dar mai este o situaţie în care paralizez total şi mă îndoiesc de mine. Cum pot să rezolv asta?

Gary: Încă o dată: trebuie să pricepi că acestea sunt implanturi de distragere! De fiecare dată când simţi îndoială sau frică, de fiecare dată când te simţi mai-puţin-decât, fă POC şi POD tuturor implanturilor de distragere care creează asta. Vă rog, oameni buni, faceţi-o să vă fie uşor. Nu înţeleg de ce vă place să munciţi din greu.

Dain: Şi eu aveam un sentiment similar de îndoială, de redusă stimă de sine şi insecuritate şi pot să-ţi spun asta: cu cât faci POC şi POD mai mult, cu atât se schimbă mai rapid. Nu înţelegeam cum alţi oameni puteau părea a fi total încrezători și fără probleme de stimă de sine. Nu am priceput niciodată până când mi-am dat seama că era o alegere pe care o ai.

Participant: Știu că spui că frica este o minciună dar mie mi-e frică de câini. Am făcut de multe ori POC și POD oricărei energii legate de frica mea dar, din nefericire, nu ajută pe deplin. Încă mi-e frică. Acest lucru mă incapacitează total. Cum îmi pot schimba frica de câini?

Dain: (*vorbind cu intensitate*) Iată ce vreau să știu: ce potență refuzi cu tot rahatul acesta care te prefaci că ești de fapt tu, cu frica ta, cu îndoiala ta și cu punctul de vedere „Sunt atât de patetică încât abia dacă merit să respir"? Ce dracu' faci? Ce anume făptuiești asupra ta și asupra lumii când te prefaci că asta este adevărat pentru tine? Pentru că ești o ființă potentă, fie că știi asta sau nu. Apropo, o spun din experiență personală.

Gary: (*către Dain*) Cine naiba și-a făcut apariția?

Dain: Așa stau lucrurile. Am recunoscut-o după ce am auzit cea de a doua întrebare despre cât de patetică te prefaci că ești. Crezi că este real pentru tine. Dar cu adevărat ai ceva potență, draga mea, indiferent cum a arătat viața ta până acum. Ai o potență reală pe care ai răsucit-o în impotența care te prefaci că este adevărată pentru tine. Vrei să-mi faci un favor – un favor personal – și să încetezi acum, înainte să vin eu la tine, oriunde te afli, și să te omor? Mulțumesc!

> Tot ce este acest lucru, de un dumnezelion de ori, vrei să distrugi și să decreezi? Right and wrong, good and bad, POD and POC, all 9, shorts, boys, POVADs and beyonds.

E posibil ca mulți dintre voi să recunoașteți acest lucru ca fiind adevărat și pentru voi. Rulați acest proces în următoarele trei săptămâni:

> Ce potență refuz cu această frică, îndoială și tot rahatul pe care îl aleg? Distruge și decreează de un dumnezelion de ori. Right and wrong, good and bad, POD and POC, all 9, shorts, boys, POVADs and beyonds.

Gary: Mă sperii, Dain! O să fug.

Dain: M-a stârnit ceva. Doar am văzut acel lucru și am spus: „Destul!" Facem aceste lucruri asupra noastră, într-un mod atât de dinamic! Avem atât de multă potență și atât de mult talent despre care refuzăm să știm.

Participant: Mă văd creând la scară mare și cu toate acestea am punctul de vedere că nu este posibil. Recunosc asta ca un implant de îndoială și încerc să-l îndepărtez. Acum, un alt gând îmi șoptește că trăiesc într-o lume imaginară încercând să creez ceva la o scară atât de mare.

Gary: Trăiești. Este lumea fanteziei care ai știut mereu că era adevărată, despre care toți ceilalți ți-au spus că nu poate fi. Bine-ai venit în lumea ta. După standardele altora, și tu și eu trăim într-o lume imaginară. Oamenii îmi spun tot timpul: „Nu poți face asta." Apoi, fac ceea ce ei spun că nu poate fi făcut și funcționează.

Când am sosit aici, în Noua Zeelandă, am fost la cel de al doilea magazin de antichități în ordinea preferințelor și am cumpărat o grămadă de lucruri pentru magazinul meu de antichități din Brisbane. Când m-am dus să ridic obiectele, proprietarii magazinului mi-au spus: „Suntem foarte recunoscători că ai venit. Am fost într-o situație dificilă în ultimele trei luni și nu știam ce să facem. Tocmai ne-ai salvat viața." Este o lume diferită atunci când salvezi viața cuiva în acest fel. Creează un set de posibilități complet diferit. Este o realitate diferită pentru tine. Este ca și cum ai trăi într-o lume imaginară care nu ar trebui să fie.

Ideea care nu ar trebui să fie este cea a implanturilor de distragere a lumii McDonald's în care trăiesc toți ceilalți. Tu trăiești într-o lume *gourmet* imaginară, lume în care tot ce guști și tot ce mănânci funcționează pentru tine. Obții tot ce îți dorești cu adevărat, tot ce soliciți și tot ce vrei. Obții totul. Așa se presupune că ar trebui să fie.

Participant: Viața mea se dezintegrează. De un an de zile, îmi cresc copiii singură și îmi place acest lucru. Am propria mea afacere, în zona unde locuiesc. Dar mă simt singură și puțin deprimată pentru că am petrecut ultimii șase ani alături de prietenii și familia fostului soț. Așa că acum sunt de una singură și mă simt blocată. Nu văd cum aș putea să mă mut, eu și afacerea mea. Clienții mei nu se vor muta împreună cu mine. Ar fi prea *departe pentru ei. Iar asta este venitul meu acum. Eu vreau să mă mut în oraş unde am locuit înainte dar acolo apartamentele sunt mult mai scumpe şi ar lua timp să îmi creez clientela. Din punct de vedere al banilor, situaţia nu arată bine acum.*

Gary: Vreau să subliniez ceva: nu ai pus nicio întrebare. Nimic din ce ai spus nu este o întrebare, nu-i aşa? Toate sunt concluzii. Toate sunt concluzii bazate pe implanturile de distragere frică şi îndoială.

Aşadar, primul lucru este: există alte alternative. Ori-ori nu sunt singurele alegeri din lume, oameni buni. De exemplu: ai putea să mergi la oraş de două ori pe săptămână, să închiriezi un spaţiu pentru birou şi să începi să creezi clientela în noul loc până când ai suficient de mulţi clienţi ca să te muţi acolo.

Dain: Chiar dacă ai închiria o cameră în biroul altcuiva sau dacă ai lucra în cadrul unui centru de sănătate. Asta este o posibilitate. Pentru început, fă-o câteva zile pe săptămână. Dacă faci un pas, te încurajează să mai faci încă unul şi apoi mai poţi face unul şi încă unul. Chiar şi dacă doar mergi să te uiţi prin oraş sau citeşti anunţurile şi vezi ce locuri sunt de închiriat este ceva ce va începe să schimbe lucrurile. Şi nu fii descurajată dacă lucrurile nu ies bine – doar continuă.

Gary: Tu funcţionezi din implanturile de distragere frică, îndoială, afaceri şi relaţii, precum şi din concluziile pe care le-ai tras. Toate aceste implanturi de distragere te ţin în locul în care crezi că nu ai alegere. Iar asta este exact ce sunt ele prevăzute să facă.

Participant: Am ajuns să nu fiu persoana care mi-ar plăcea să fiu. Cu mulţi ani în urmă, eram o persoană veselă şi eram înconjurată de mulţi oameni. Acum sunt defensivă de câte ori oamenii îmi spun chiar şi cele mai mărunte lucruri.

Gary: Dacă eşti atât de defensivă, te-ai aflat într-o relaţie abuzivă. Abuzul s-a bazat pe faptul că ai fost dispusă să te vinzi pentru a avea o relaţie. Acesta este punctul de vedere al implantului de distragere.

Câți dintre voi v-ați vândut în relația voastră? În relația voastră, în afaceri, în ce privește frica și în raport cu propria îndoială? Acestea sunt punctele de vânzare din care cumpărați înapoi implanturile de distragere de fiecare dată. Tot ce este acest lucru, de un dumnezelion de ori, vreți să distrugeți și să decreați în totalitate? Right and wrong, good and bad, POD and POC, all 9, shorts, boys, POVADs and beyonds.

Probabil ești o persoană inteligentă și, deoarece ești inteligentă, și pentru că erai fericită, ai presupus că nu te puteai afla într-o relație abuzivă. Abuzul are loc puțin câte puțin, oameni buni. Trebuie să ascultați unele din CD-urile despre abuz pe care le avem și trebuie să vă fie clar că există o posibilitate diferită.

Dacă sunteți defensivi și vă așteptați să cadă drobul de sare, vă aflați într-o poziție defensivă generată de o relație abuzivă. Trebuie să curățați asta înainte de a putea pricepe toată această informație cu privire la implanturile de distragere.

Participant: Nasol. Mă învârt în cerc. Nu sunt o victimă dar sunt derutată.

Gary: Asta deoarece îți lipsesc informații și sper ca acest detaliu să demareze procesul de schimbare a tuturor acestora pentru tine.

Participant: Gary, am fost într-o relație în care a existat abuz fizic și verbal. Instrumentele Access m-au ajutat cu adevărat să aleg ceva diferit. Folosesc multe instrumente iar ele curăță o grămadă de lucruri. Cu toate acestea, de puțin timp, se pare că devin mai sensibilă la oameni. Se pare că sunt foarte sensibilă la ce spun ei. Am făcut niște schimburi cu câțiva oameni diferiți, care fac chestii metafizice, și toți mi-au spus că am inima frântă.

Gary: Pot să te întreb ceva?

Participant: Da, te rog.

Gary: Ce întrebare este: „Ai inima frântă"?

Participant: Da. Știu că nu e nicio întrebare aici.

Gary: Ei doar ți-au dat răspunsul lor și acum asta te blochează. Dacă te duci la oameni care practică metafizica, îți pierzi banii cât se poate de repede pentru că tot ce vor face ei va fi să-ți furnizeze răspunsul lor. Este punctul lor de vedere legat de ce anume trebuie să rezolvi tu. Punctul lor de vedere cu privire la care este problema și „tema" ta. Pe ei nu-i interesează ca tu să devii conștientă. Pe ei îi interesează ca tu să cumperi mai multe produse de la ei. Câte vieți ai crezut ideea că ai inima frântă? Și nu, nu ești sensibilă, ești conștientă. Ce parte a lui *conștientă* nu pricepi?

Tot ce este acest lucru, de un dumnezelion de ori, vrei să distrugi și să decreezi în totalitate? Right and wrong, good and bad, POD and POC, all 9, shorts, boys, POVADs and beyonds.

Trebuie să te uiți la situație și să întrebi: „Este asta adevărat? Am inima frântă?" Dacă ai avea inima frântă ai fi moartă! Nu ai inima frântă. Ți-ai pierdut încrederea în relație dar asta nu este un lucru rău. Nu vrei credință oarbă în relație. Vrei să te uiți la ceea ce este și să întrebi: „Este el o persoană bună? Va avea grijă de mine și mă va iubi și mă va ocroti? Vrea el să fie cu mine?" Nu: „Am nevoie de un om bun care să mă iubească deplin, și acum inima mea se va vindeca." Ce rahat. Îmi pare rău că ai fost într-o relație abuzivă. Are corpul tău nevoie să plângă? Da, corpul tău are nevoie să plângă. Lasă-l naibii să plângă. Încetează să mai încerci să-l oprești!

Dain: Chiar ai inima frântă? Sau ai pășit într-o uriașă conștientizare? Și, dacă i-ai spune conștientizării pe nume, ar elibera corpul tău în cele din urmă chestia asta pe care a încercat să o elibereze în loc să ruleze în banda Mobius bazată pe minciuna altcuiva și pe ce au proiectat asupra ta cu privire la inimă frântă? Scuze, sunt convins că observi că livrăm asta cu puțină intensitate.

Participant: Da, e în regulă. Vreau să mă eliberez de asta. Vreau să se schimbe.

Dain: De aceea avem acest nivel de intensitate. Tu ai renunțat la ceea ce știi în favoarea punctului de vedere semnificativ, concluziv și metafizic al altcuiva, fapt care te-a blocat de atunci încoace. Da sau nu?

Participant: Hmmm, eu aș spune că am fost în întrebare cu acest punct de vedere.

Gary: Îmi pare rău dar nu poți fi în întrebare cu privire la el pentru că tocmai l-ai prezentat ca o declarație a unui fapt absolut și total. Asta nu este întrebare.

Participant: OK, da.

Gary: Dacă încerci să „cumperi" minciuna altcuiva, singurul lucru pe care îl vei face va fi să te distrugi. Te rog, încetează. Te rog, nu-ți face asta. Meriți mai bine de-atât. Meriți mai mult de-atât și dacă ești de acord cu ideea că ai inima frântă atunci te poți vindeca doar dacă găsești pe altcineva care te va agresa într-un mod diferit.

Dain: Întreabă: „Chiar am inima frântă? Am *cumpărat* asta de la altcineva? Și, dacă nu mai cred acest lucru în mod special, ce altceva s-ar schimba în viața mea?" Iar tu, draga mea, ai cu mult mai multă potență decât vrei să recunoști.

Gary: Pentru totdeauna... amin!

Dain: Continui să mergi la oameni care cred că au mai multă conștientizare decât tine iar ei nu au nici pe departe nivelul de conștientizare pe care îl ai tu. Nu au nici măcar nivelul tău de aventură. Nu au nici pe departe nivelul de *a fi* pe care îl ai tu. Nu au nici pe departe nivelul tău de a le păsa. Ei nu trăiesc nici măcar pe-aproape în nivelul tău de întrebare.

Gary: Sau de posibilitate.

Dain: I-ai lăsat să-ți dea răspunsul lor limitat și ai plecat încercând să-l faci real. Și te pedepsești de fiecare dată când pare că nu funcționează. Ei bine, nu va funcționa. Tu ești mai măreață decât ce-ți spun ei.

Gary: Te rog nu te duce la oameni care încearcă să găsească ce e greșit în ceea ce te privește. Nu e nimic greșit în ce te privește.

Dain: Trebuie să-ți spun: am făcut și eu acest lucru, în mod dinamic, cea mai mare parte din viața mea și, de fiecare dată când am făcut punctul de vedere al altcuiva mai măreț decât mine, am ieșit din asta „șifonat". Mă întrebam de ce și încercam să-mi găsesc ieșirea din acea situație. Și singura cale de ieșire a fost când am recunoscut: „Oh! Sunt mai măreț decât ce îmi spune persoana aceasta iar eu am crezut concluzia ei! Gata cu tâmpenia asta."

Participant: OK, deci cel mai bun mod de a-i face față în corpul meu este să plâng?

Gary: Da, acesta este corpul tău.

Participant: Și când iese la suprafață doar să plâng?

Gary: Fă-i POC și POD și plângi.

Dain: Dă-i voie corpului tău să plângă și întreabă-l: „Hei, corpule! Ce ar fi necesar pentru a disipa asta?" Dar el plânge nu din punctul de vedere „am inima frântă" pentru că asta este o semnificație și o minciună.

Gary: Realitatea este că ți-a fost abuzat corpul. Ai fost agresată. Corpul tău a primit întregul abuz. Are nevoie de câteva lacrimi pentru a se elibera total de asta.

Dain: Și este inima frântă sau este grija pe care refuzi să o ai pentru tine? Asta este ce își dorește și de ce are nevoie corpul tău în acest moment. Ce sperăm noi pentru tine este că vei spune: „Voi avea grijă de mine și voi avea grijă de corpul meu acum și nu voi mai crede punctele de vedere ale altor oameni că ar fi ceva în neregulă cu mine. Deoarece, cum ar fi dacă nu ar fi nimic în neregulă cu mine?"

Gary: Nu e nimic în neregulă cu tine. Nu e nimic în neregulă cu niciunul dintre voi, oameni buni. Niciunul dintre voi nu aveți ceva care nu e în regulă. Dar continuați să credeți asta în loc să vă gândiți la ce e corect în ce vă privește.

Participant: Mulțumesc.

Dain: Cu mare plăcere.

Participant: Îmi dau seama că, în toate aspectele vieții mele, am aplicat „Cum ar fi dacă?" în sensul sferic în loc de „Ce altceva este posibil?". Știu că am „cumpărat" asta de la tatăl meu.

Gary: Tatăl tău a fost un implant de distragere care-și căuta un loc unde să se exprime. Știi, doar pentru că ai „cumpărat" asta de la tatăl tău nu înseamnă că trebuie să-l și păstrezi. Faptul că omul a fost minunat în atât de multe privințe nu înseamnă că a fost perfect. Dă drumul implanturilor de distragere pe care le-a avut el. Începe să faci POC și POD fiecărui implant de distragere de dedesubt. Întreabă: „Ce pot cere și solicita pentru a schimba asta?" și începe să funcționezi dintr-un loc cu totul diferit.

Participant: Cum ajutăm oamenii cu implanturi de distragere?

Gary: Le faci POC și POD. Îi poți întreba: „Ești conștient că acesta este un implant de distragere? Drăguț, ne jucăm cu un implant de distragere."
Nimeni din această realitate nu-ți spune că implanturile de distragere nu sunt reale. Tu poți fi acel cineva care face acest lucru. Trebuie să fii persoana care este atât de diferită încât spune oamenilor ceea ce este, astfel încât să aibă o alegere diferită.

Dain: Avem tendința să ne integrăm în limitele realităților altor persoane atunci când vorbim cu ele, în loc să vorbim despre ce există acolo și despre ce poate fi curățat. Încercăm să ne înscriem în parametrii și limitele punctului de vedere al altcuiva despre aceste lucruri.

Vreau să spun asta pentru că am observat-o la noi toți. În acele momente, când simți că ești cel mai prost lucru din lume și nu poți face nimic, și simți că ești cea mai jalnică persoană care ai fost vreodată, îți găsești drumul de ieșire din asta și, dintr-odată, ai mai mult din tine decât ai avut înainte.

Cu toții aveți o mai mare capacitate de a face totul dintr-un loc diferit. Puteți folosi această informație pentru a vă crea relațiile. Este modul în care creați comuniune cu restul lumii.

Gary: Este modul în care vă creați viața.

Dain: Vă puteți crea restul vieții. Aveți la dispoziție, cu adevărat, alegeri diferite și trebuie să fiți dispuși să le alegeți pe acelea. Trebuie să fiți dispuși să fiți într-atât de diferiți și trebuie să fiți dispuși să fiți lumina strălucitoare a unei posibilități diferite – pentru că puteți.

Gary: Puteți fi inspirația. Vreau să citesc ceva acum pentru că rezumă punctul meu de vedere și am crezut că e cool:

Gary și Dain, uriașă recunoștință. Vă mulțumesc vouă pentru genialitatea voastră și pentru informații, și fiecărei persoane din acest call pentru contribuția extraordinară pentru această lume și pentru viața, traiul, corpul și realitatea mea. Profunzimea și amploarea schimbării și expansionării care au avut loc în viața mea și în viețile celor din jurul meu sunt fenomenale și dincolo de cuvinte. Mulțumesc, mulțumesc, mulțumesc! Cum devine mai bine decât atât?

Așa simt eu despre toate *call*-urile și despre voi toți ridicându-vă la nivelul posibilităților care sunt acum disponibile.

Dain: Voi, oameni buni, sunteți un dar. Faptul că vă aflați în acest *call* reprezintă o parte uriașă a lui *cum* și *de ce* am fost capabili să discutăm despre tot ce am discutat.

Gary: Acum aveți informațiile cu privire la ce sunt implanturile de distragere și cum sunt ele menite să vă limiteze, să vă contracte și să vă facă mai puțin. A vă diminua este cel mai rău lucru pe care îl puteți face Pământului și cel mai rău lucru pe care îl puteți face omenirii. Așa că, fiți voi în totalitate, vă rog!

Folosiți ceea ce știți acum despre aceste implanturi de distragere pentru a putea începe să fiți tot ceea ce sunteți. Vă rog încetați să vă prefaceți că nu sunteți atât de măreți cât sunteți cu adevărat pentru că asta este batjocură. O batjocură în ce vă privește, în ce mă privește și față de lumea întreagă.

Dain: Mulțumim tuturor.

Ce actualizare fizică a bolii total limitative și structural conceptuale a schimbării adevărate nu recunoști ca perfecțiunea vieții, lui *a trăi*, a morții și a realității patetice și dezgustătoare pe care le alegi? Și tot ce este acest lucru, de un dumnezeion de ori, vrei să distrugi și să decreezi în totalitate? Right and wrong, good and bad, POD and POC, all 9, shorts, boys, POVADs and beyonds.

Fraza de curățare Access Consciousness

Pe tot parcursul acestei cărți, noi punem o multitudine de întrebări și e posibil ca unele dintre aceste întrebări să-ți sucească puțin mintea. Asta este intenția noastră. Întrebările pe care le punem sunt prevăzute să scoată mintea din ecuație pentru ca tu să poți ajunge la energia unei situații.

Odată ce întrebarea ți-a sucit mintea și a adus la suprafață energia unei situații, întrebăm dacă ești dispus(ă) să distrugi și să decreezi acea energie, deoarece energia blocată este sursa barierelor și a limitărilor. Distrugerea și decrearea acelei energii va deschide pentru tine ușa către noi posibilități. Aceasta este oportunitatea ta să spui: „Da, sunt dispus(ă) să dau drumul la orice menține în loc acea limitare."

Asta va fi urmată de o păsărească pe care noi o numim fraza de curățare:

Right and wrong, good and bad, POD and POC, all 9, shorts, boys, POVADs and beyonds™

Cu fraza de curățare mergem înapoi la energia limitărilor și a barierelor care au fost create. Ne uităm la energiile care ne împiedică să mergem înainte și să ne expansionăm în toate spațiile în care ne-am dori să mergem. Fraza de curățare este pur și simplu o păsărească ce abordează energiile care creează limitările și contracțiile din viața noastră.

Cu cât rulezi mai mult fraza de curățare, cu atât mai profund pătrunde și cu atât mai multe straturi și niveluri poate să deblocheze pentru tine. Dacă iese la suprafață multă energie ca răspuns la o întrebare, poate ai dori să repeți procesul de mai multe ori până când subiectul abordat nu mai este o problemă pentru tine.

Nu e necesar să înţelegi cuvintele pentru ca fraza de curăţare să funcţioneze pentru că este vorba despre energie. Cu toate acestea, dacă te interesează să ştii ce înseamnă cuvintele, mai jos sunt câteva definiţii scurte.

Right and wrong, good and bad este prescurtarea pentru: Ce este drept, bun, perfect şi corect legat de această situaţie? Ce este greşit, josnic, rău, groaznic, urât şi înspăimântător legat de această situaţie? Versiunea scurtă a acestor întrebări este: Ce este corect şi greşit, bine şi rău? Lucrurile pe care le considerăm a fi drepte, bune, perfecte şi/sau corecte sunt cele care ne blochează cel mai mult. Nu dorim să le dăm drumul de vreme ce am decis că le-am nimerit.

POD reprezintă punctul distrugerii, toate felurile în care te-ai distrus pe tine pentru a menţine în existenţă ceea ce cureţi acum.

POC reprezintă punctul creaţiei gândurilor, sentimentelor şi emoţiilor care preced decizia ta de a bloca energia în loc.

Uneori, oamenii spun „POD şi POC la acest lucru" care este pur şi simplu prescurtarea frazei mai lungi. Atunci când faci POD şi POC la ceva anume, este ca şi cum ai trage cartea de la baza piramidei din cărţi de joc. Întreaga construcţie se năruie.

All 9 reprezintă cele nouă moduri diferite în care ai creat acel lucru ca o limitare în viaţa ta. Ele sunt straturile gândurilor, sentimentelor, emoţiilor şi punctelor de vedere care creează limitarea ca ceva solid şi real.

Shorts este versiunea scurtă a unei serii mult mai lungi de întrebări care includ: Ce este semnificativ în legătură cu asta? Ce este nesemnificativ în legătură cu asta? Care este pedeapsa pentru acest lucru? Care este recompensa pentru acest lucru?

Boys reprezintă structurile energetice numite sfere nucleate. Practic, acestea au de-a face cu acele aspecte din viaţa noastră în care am încercat să rezolvăm ceva în mod continuu, fără niciun efect. Există cel puţin treisprezece astfel de sfere diferite care, la un loc, se numesc *boys*. O sferă nucleată arată precum baloanele create atunci când sufli într-un tub din dispozitivul cu camere multiple cu care copiii fac baloane de săpun. Creează un număr imens de baloane şi, când spargi unul, celălalt îi ia locul. Ai încercat vreodată să cureţi foile de ceapă când încercai să ajungi la miezul unei probleme dar nu puteai ajunge niciodată acolo? Asta din cauză că nu era o ceapă; era o sferă nucleată.

POVADs – POVAD-urile sunt punctele de vedere pe care le eviţi şi le aperi, care menţin în existenţă aspectul respectiv.

Ce puncte de vedere aperi şi eviţi care menţin asta în loc? Tot ce este acest lucru, de un dumnezelion de ori, vrei să distrugi şi să decreezi în totalitate? Right and wrong, good and bad, POD and POC, all 9, shorts, boys, POVADs and beyonds.

Beyonds sunt sentimente sau senzaţii pe care le ai, care îţi opresc inima sau îţi taie respiraţia sau îţi blochează disponibilitatea de a te uita la posibilităţi. *Beyonds* sunt ceea ce apare când eşti în stare de şoc. Avem o mulţime de situaţii în viaţă când încremenim. De fiecare dată când încremeneşti, acela este un *beyond* care te ţine prizonier. Aceasta este dificultatea cu un *beyond*: te împiedică să fii prezent. *Beyonds* includ tot ce este dincolo de convingere, realitate, imaginaţie, concepţie, percepţie, raţionalizare, iertare şi toţi ceilalţi *beyonds*. Ei sunt, de obicei, sentimente şi senzaţii, rareori emoţii şi niciodată gânduri.

Cuprins

CUPRINS

CPSIA information can be obtained
at www.ICGtesting.com
Printed in the USA
BVHW080554150223
658553BV00024B/368

9 781634 935890